CB051398

ESTE LIVRO PERTENCE A:

____

ABRINDO PORTAS PARA A
CONSTÂNCIA EM DEUS

DEVOCIONAL

DESENVOLVENDO O SECRETO

quatro ventos

Editora Quatro Ventos
Avenida Pirajussara, 5171
(11) 99232-4832

Diretor executivo: Raphael T. L. Koga
Editora-chefe: Sarah Lucchini
Coordenação do projeto: Rebecca Gomes
Equipe do projeto: Brenda Vieira
Dallila Macedo
Manuella Vieira
Equipe Editorial: Ana Paula Gomes Cardim
Isabela Bortoliero
Paula de Luna
Rafaela Beatriz Santos
Revisão: Eliane Viza B. Barreto
Projeto gráfico: Matheus Lazzarin
Ilustração: Carolina M. J. Mano
Diagramação: Thalita Vitoria O. Santos
Capa: Lira Lira

Todas as citações bíblicas e de terceiros foram adaptadas segundo o Acordo Ortográfico da Língua Portuguesa, assinado em 1990, em vigor desde janeiro de 2009.

Todo o conteúdo aqui publicado é de inteira responsabilidade do autor.

Todas as citações bíblicas foram extraídas da Nova Almeida Atualizada, salvo indicação em contrário.

Citações extraídas do site https://www.bibliaonline.com.br/naa. Acesso em maio de 2021.

1ª Edição: maio 2021
3ª Reimpressão: março 2025

Ficha catalográfica elaborada por Aline Graziele Benitez – CRB 1/3129

Vários autores.

Devocional desenvolvendo o secreto / Clara Mendes. -- 1. ed. -- São Paulo : Editora Quatro Ventos, 2021.

ISBN: 978-65-89806-01-1

1. Cristianismo 2. Deus (Cristianismo) - Conhecimento 3. Devoção a Deus 4. Literatura devocional 5. Vida cristã I. Título.

CDD 242
CDU 21-61262

SUMÁRIO

PARTE 3: CULTIVANDO O CARÁTER DE CRISTO

PARTE 4: RESPLANDECENDO A GLÓRIA DE DEUS

CONSIDERAÇÕES FINAIS

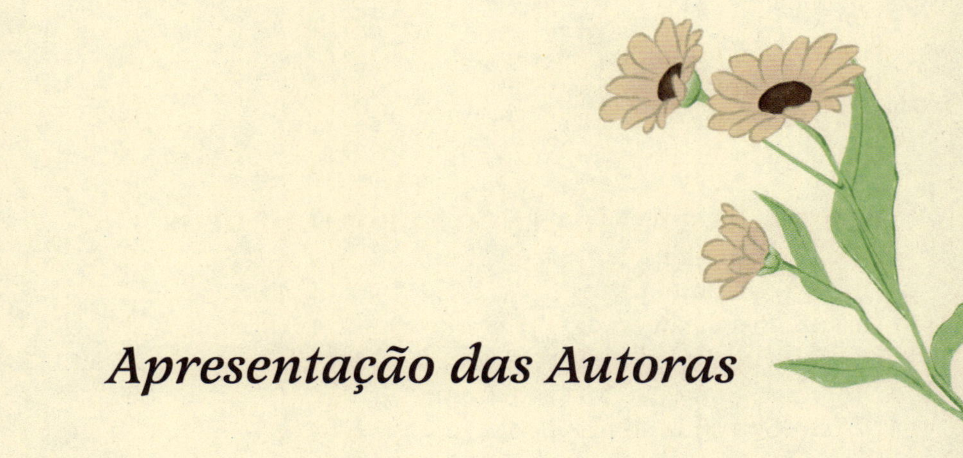

Apresentação das Autoras

Clara Mendes

é graduanda no curso de Direito e faz parte da liderança sênior do Céu na Terra Movement, uma organização evangelística e interdenominacional; além de ser uma das coordenadoras do Blooming-NG, cujo foco é capacitar e desenvolver mulheres para seus propósitos. Também trabalha na Escola 2414, uma escola de evangelismo e missões. Clara ama viver o Reino de maneira simples e tem um coração que queima pelas Escrituras. Ela tem se posicionado cada vez mais como uma voz nas áreas de santificação, missões e mulheres.

O que a autora mais gosta de fazer no seu Secreto é: ser sincera com o Senhor sem medo e condenação, na certeza de que Ele não desprezará um coração quebrantado e contrito (cf. Salmos 51.17).

@clarsmendes

Fernanda Amandio

é uma das líderes sêniores do Céu na Terra Movement, uma organização evangelística e interdenominacional. Além de anunciar Jesus por meio de pinturas, desenhos, da música e da pregação do Evangelho, seu maior anseio é ver uma geração rendida a Cristo, com profunda devoção e fome por mais de Deus. Ela deseja desesperadamente a volta de Jesus, e está trabalhando para que isso aconteça.

O que a autora mais gosta de fazer no seu Secreto é: orar as Escrituras e dançar de olhos fechados.

@fernandaamandio

Lissa Subirá

é formada em Teologia pelo instituto Cristo para as Nações, cantora, compositora e escritora, apaixonada por Jesus e deseja conhecer mais do Senhor, tornando-O também mais conhecido. Filha dos pastores Luciano e Kelly Subirá, foi criada com a visão de servir as pessoas e celebrar a diversidade que há na Igreja. Seu coração queima por famílias e pela arte como ferramenta de expansão do Evangelho.

O que a autora mais gosta de fazer no seu Secreto é: ler a Bíblia, aproveitar a companhia de Jesus, escrever suas orações e cantar.

 @lissasubira

Vitoria Dozzo

é designer de moda e criadora de conteúdo para a internet. Em 2017, iniciou sua jornada nas redes sociais, profissionalizando-se verdadeiramente no ano seguinte. Após seu encontro real com Jesus, em 2019, tudo mudou, e agora existe um novo propósito por trás de tudo o que posta e entrega aos seus seguidores. Com foco em mulheres e meninas, cheia de bom humor e sinceridade, Vitoria fala sobre autoestima, relacionamentos e como firmar sua identidade em Jesus.

O que a autora mais gosta de fazer no seu Secreto é: dançar e estudar a Bíblia, fazendo anotações no caderno e grifando textos.

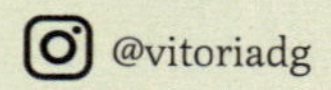 @vitoriadg

Julia Vitoria

é líder de louvor e adoração, ama criar arte em forma de música e espera poder alcançar as pessoas e transformar corações através das canções e de quem ela é em Jesus. Ela deseja servir pessoas, tem paixão por famílias, ama orar e tem altas expectativas sobre o que Deus está fazendo na sua geração. Iniciou seu ministério em 2017, quando fez as primeiras viagens para ministrar, e, em 2018, começou a gravar suas composições pela Musile Records. Atualmente, mora nos Estados Unidos, mas tem viajado pelo Brasil ministrando louvor e adoração bem como a Palavra de Deus. Ela ama Jesus e ama as pessoas!

O que a autora mais gosta de fazer no seu Secreto é: ter seus momentos de adoração ao Senhor.

@juliavitoria.ofc

Gabriela Gomes

tem 24 anos, é líder de adoração, compositora e produtora musical. Sua maior paixão é levar as pessoas a conhecerem Jesus por meio da música e da adoração. Desde 2015, ela tem viajado pelo Brasil e mundo afora, ministrando a Palavra e o louvor, tendo o seu pai, Marquinhos Gomes, como inspiração. Gabriela é da Igreja Batista, onde tem servido desde a sua adolescência, mas, atualmente, mora em Portugal com seu marido e, juntos, sonham em ampliar a família e discipular as nações através do seu legado e amor a Deus.

O que a autora mais gosta de fazer no seu Secreto é: cantar e dançar para Jesus.

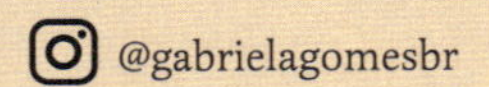

@gabrielagomesbr

Rapha Gonçalves

é líder de adoração no Dunamis Movement, ministério paraeclesiástico, cujo foco é despertar uma geração para o estabelecimento da cultura do Reino de Deus, transformando a sociedade. Formada em Comunicação Social e Cinema, ela ama ver o sobrenatural de Deus acontecer através da sua arte, além de ter o coração voltado para a restauração da presença de Deus na área do Entretenimento no mundo todo. Depois de trabalhar alguns anos no ramo da Comunicação, Deus a chamou para atuar no ministério e cumprir um dos chamados de sua vida: levar poder, verdade e amor por meio de sua adoração. Atualmente, trabalha em uma agência de publicidade como criadora de conteúdo.

O que a autora mais gosta de fazer no seu Secreto é: adorar por meio de canções espontâneas.

@raphagoncalves

Lívia Bember

é psicóloga e vice-presidente do Instituto Dara, que tem como objetivo ensinar e orientar crianças em situação de vulnerabilidade social sobre princípios educacionais, espirituais e físicos. Além disso, é missionária e, desde pequena, tem uma paixão por dança, e acredita fielmente que essa é uma das formas pelas quais Deus pode Se manifestar. Desde 2014, produz conteúdos no Instagram sobre vida cristã e relacionamentos, atraindo muitas meninas. Ela é casada e seu coração queima por família, pureza e autenticidade.

O que a autora mais gosta de fazer no seu Secreto é: discernir o ambiente em silêncio; eventualmente, gosta de dançar para sentir a presença do Espírito Santo no corpo, na alma e no espírito.

 @liibember

Isabela Borges

é artista, criativa e criadora de conteúdo, formada em Publicidade e Propaganda pelo Mackenzie. Ela é casada com o Gabriel há três anos, e faz parte do Movimento Dunamis há quase dez anos, atuando no ministério com capacitação e treinamento de jovens e adolescentes para cumprir seus propósitos. Durante o período da faculdade, liderou movimentos estudantis e passou os últimos cinco anos no campo missionário. Nesse propósito, ela dedicou sua vida para ver crianças e mulheres libertas da exploração sexual no nordeste brasileiro e alcançou, através da pregação do Evangelho, povos na Ásia. Hoje, sua missão é por meio da arte, aproximar pessoas de um relacionamento íntimo com Deus, influenciar mulheres através das redes sociais a se tornarem voz para esta geração e restaurar a pureza e o padrão de relacionamento dentro da Igreja de Cristo.

O que a autora mais gosta de fazer no seu Secreto é: criar e refletir sobre a identidade de um Deus criativo de maneira simples, através da fotografia, pintura, música, *origami* etc.

 @isabelaxborges

Esther Marcos

é cantora e compositora cristã. Sua paixão é ministrar a Palavra de Deus através de músicas e pregações. É influenciadora digital e desenvolve conteúdos em suas redes sociais para orientação e motivação pessoal. Além disso, lidera jovens cristãos em sua igreja local. Algo que Esther ama é falar sobre Jesus.

O que a autora mais gosta de fazer no seu Secreto é: trocar as palavras faladas por palavras cantadas e, assim, ser livre na presença do Rei.

 @esthermarcos

Introdução

INTRODUÇÃO

Que estranho seria ver um adulto de meia idade caminhando pelas ruas enquanto toma mamadeira. Ou correndo atrás da mãe implorando por leite. Isso, por razões óbvias: ninguém passa a vida inteira em amamentação. Qualquer criança minimamente saudável, alguma hora, abandona o leite e começa a se alimentar de substâncias mais sólidas. Esse processo é comumente chamado de "introdução alimentar"; ele acontece aos poucos, e sua duração pode variar dependendo da pessoa. Mas o mais interessante é que, uma vez completo, não há volta.

Pelo menos, esse é o natural. Afinal, não vemos por aí adultos que voltam a se alimentar como bebês ou que se contentam apenas com o consumo daqueles nutrientes iniciais. Isso logicamente acontece porque, de maneira constante, estamos atingindo a maturidade em todos os aspectos de nossas vidas, e, por isso, precisamos estar sempre aprendendo, melhorando e crescendo.

Em nossa vida com Deus também é assim. À medida que nos aprofundamos em nosso relacionamento com Ele, distanciamo-nos cada vez mais da linha de partida. E Paulo, em sua primeira carta aos coríntios, escreve sobre esse processo:

> *Quando eu era menino, falava como menino, sentia como menino, pensava como menino; quando cheguei a ser homem, desisti das coisas próprias de menino. (1 Coríntios 13.11)*

As "coisas de menino" precisam ficar para trás no instante em que nos desenvolvemos como seres humanos e cristãos maduros. Quanto mais temos intimidade com Deus, mais Lhe damos permissão para nos transformar, guiar e disciplinar. É como quando um pássaro empurra seus filhotes para fora do ninho a fim de que eles aprendam a voar. Até aquele momento, eles recebiam comida no bico, e tudo o que conheciam estava ali dentro. É por isso que, a princípio, quando são empurrados do ninho, os filhotes podem ficar desnorteados e até demorar um tempo para entenderem como voar. Contudo, eles já receberam todo o alimento e preparação necessários. Eles já estão em condições de voar, só não sabem disso ainda.

Este devocional é justamente o empurrão que você precisa. Ele a desafiará a se aprofundar e desenvolver o seu tempo com Deus, e a ajudará a amadurecer ainda mais em sua caminhada com Ele. Depois do grande sucesso do devocional diário *Simplificando o secreto*, que transformou a vida de milhares de pessoas, este livro nasceu como uma continuação do primeiro, e traz 40 dias de reflexões novas e aprofundadas que vão instigá-la a fortalecer as raízes do seu relacionamento com Deus. Cada uma destas páginas foi cuidadosamente pensada pelas autoras e por toda a equipe, que dedicaram um tempo intenso de oração e trabalho duro para que, através desta leitura, você possa mergulhar mais fundo na revelação de quem você é e do seu propósito.

Não apenas isso, mas você será desafiada a dar mais um passo no seu relacionamento com a Trindade. Agora, a pergunta que não quer calar é: você está pronta para sair do ninho?

Dicas de amadurecimento

Este devocional tem o intuito de desafiá-la a simplificar, consolidar e aprofundar cada vez mais seu relacionamento com Deus. Por essa razão, sugerimos aqui cinco dicas práticas para que você avalie e desenvolva a sua maturidade de forma saudável:

1. Realize suas disciplinas espirituais

Elas são a base de tudo aquilo que você construirá daqui para a frente. É essencial que você realmente separe e dedique um tempo especial para orar, ler e meditar na Bíblia, bem como exercitar todos os dons do Espírito Santo de maneira intencional. Isso não é religiosidade, mas uma forma de proteger a sua vida espiritual discernindo a realidade à sua volta.

2. Abandone o espírito de orfandade e vitimismo

Receber a paternidade de Deus não é algo que acontece apenas uma vez na vida, quando nos convertemos, e sim um processo constante a ser aperfeiçoado de glória em glória. O Senhor Se revela de formas diferentes, criativas e cada vez mais profundas, mas, para que as Suas verdades e revelações realmente transbordem em sua vida, você precisa deixar de lado a mentalidade de órfã. Você foi adotada por Deus, portanto tem uma família. Isso significa que se livrar de comportamentos autodestrutivos e de vitimismo é um dos passos mais importantes para assumir responsabilidade por sua vida espiritual e dar um fim ao espírito de orfandade. Contudo, isso só é possível se você permitir que Deus transforme e confronte a sua vida. Portanto, abra-se para a mudança que Ele deseja fazer, e lembre-se: você não é vítima das circunstâncias.

3. Seja sensível ao Espírito Santo

O Espírito Santo é o nosso Conselheiro e Consolador; Ele almeja constantemente nos auxiliar e nos aconselhar tanto nas decisões simples como nas complexas. Por isso, peça que os seus ouvidos espirituais se tornem mais sensíveis para ouvir o que o Espírito Santo quer lhe dizer e siga Suas instruções. Ore diariamente por direções mais específicas em relação às posturas que você deve tomar em cada área e esteja conectada a Ele o tempo inteiro.

4. Não espere que a resposta venha das pessoas; busque-a em Deus

Um dos erros que mais cometemos é colocar nossas expectativas nas pessoas e instituições em vez de em Deus. O problema é que, ao fazermos isso, somos facilmente enganadas e frustradas. Isso, porque o ser humano é falho e limitado, e, portanto, incapaz de ser a fonte de tudo o que precisamos na vida. Mesmo as melhores pessoas que conhecemos vão errar, decepcionar-nos, e não terão as respostas que realmente procuramos. Um passo prático para ajudá-la a crescer nesse sentido é começar a abrir seu coração primeiramente a Deus e, depois, às pessoas mais próximas de você. Não busque a solução dos seus problemas em outros. Não espere respostas mágicas ou profecias mirabolantes das pessoas. Desenvolva o seu próprio relacionamento com Deus, escute diretamente d'Ele e coloque-O o tempo inteiro em primeiro lugar, afinal Ele é a fonte de tudo o que você necessita.

5. Posicione-se e persevere

Quando nos posicionamos em fé, adotando posturas e atitudes diárias que nos mantêm firmes nos propósitos de Deus, mesmo nas pequenas coisas, essa fé produz perseverança, e garantirá, mais adiante, frutos eternos.

Essas são apenas algumas dicas práticas, mas acreditamos que, quando reunidas, cada uma delas contribuirá grandemente para o seu desenvolvimento, tanto da sua vida com Deus quanto de várias outras áreas que precisam de amadurecimento. Por isso, mergulhe nessas reflexões, prepare-se e tome nota de tudo aquilo que for revelado a você nestas páginas.

PARTE I

Amadurecendo no processo

DIA 1

Crescer é necessário

por Clara Mendes

Leia: 2 Pedro 3.18; Isaías 55.1-7

Eu me recordo de momentos na minha infância quando me recusava a comer toda a refeição; ficava sentada por algum tempo, em frente ao prato, resistindo e pirraçando, enquanto minha mãe falava insistentemente: "Clara, você tem que comer tudo! É importante, porque você está crescendo, então precisa comer mais!". Por trás de tanta persistência e cobrança, eu estava vivendo a famosa "fase de crescimento". Não tinha como fugir, pois ela exigia uma alimentação de maior qualidade e quantidade.

Essa história me lembra o que vivemos no Reino de Deus, já que também estamos em constante amadurecimento na fé. Junto ao crescimento espiritual, o nosso anseio aumenta, e sentimos cada vez mais a necessidade de conhecê-lO melhor. Percebemos que uma leitura rasa das Escrituras e orações superficiais se tornam insuficientes, porque o processo exige um mergulho mais profundo na comunhão com Deus.

Nessa jornada, as disciplinas espirituais [oração, leitura da Bíblia, jejum etc.] são alimentos nutritivos vitais, que, ao colocarmos em prática, geram um crescimento exponencial. Crescimento esse, que, curiosamente, é o inverso do padrão de desenvolvimento que vemos por aí. Isso, porque, confor-

me amadurecemos, ficamos ainda mais dependentes, e quanto mais parecidos com Jesus, mais adquirimos pobreza de espírito. Não nos tornamos impecáveis nem autossuficientes. Pelo contrário, à medida que crescemos, mais humildes diante de Deus estaremos. Esse caminho não é para super-heróis, mas para filhos dependentes e famintos.

Contudo, existe algo além disso. O grande propósito é: "sermos conforme a imagem do Seu Filho".[1] Sendo assim, uma vez que Cristo está sendo gerado em você, não se conforme apenas com o bom, se você pode alcançar o que é excelente! Seja grata por aquilo que a graça de Deus tem realizado na sua vida, mas não fique satisfeita. Hoje, o Espírito Santo convida você para viver algo maior. Por isso, não seja roubada por uma vida medíocre e confortável; chega de ficar saciada com o pouco (cf. Mateus 16.24-25).

Não adianta esperar circunstâncias perfeitas para crescer nem se esconder atrás de experiências religiosas. Você é filha de Deus, já tem o Espírito Santo e tudo o que precisa na suficiência de Cristo. O que está esperando? Sempre é hora de crescer!

---

[1] Paráfrase do versículo 29 de Romanos 8.

Anotações

Desafio

Agora, quero esticá-la com o desafio de iniciar um estudo bíblico intencional, escolhendo um assunto, um propósito de oração ou um cronograma de jejum como um novo passo em direção ao seu crescimento espiritual. Afinal, são os pequenos passos que constroem grandes mulheres de Deus.

DIA 2
Valores e princípios

por Esther Marcos

Leia: Mateus 5-7

Viver um processo é difícil, principalmente quando ele nos faz crescer. Lembro-me das "dores de crescimento" (estirão) que sentia quando era pequena. Talvez você ainda se recorde dessa época. Espiritualmente, também passamos por isso quando enxergamos a discrepância entre os valores humanos e os de Deus. E é em razão disso que esse é um processo que levamos uma vida inteira para concluir. Quer saber alguns dos segredos? **Renúncia, entrega, perseverança** e **confiança.**

Aprender a **se render** aos valores e princípios de Deus é escolher **renunciar**, todos os dias, a este mundo, mergulhando fundo nas Escrituras Sagradas. Aliás, a realidade que os nossos antepassados conheceram não é mais a mesma; e a correria em que vivemos hoje nos impulsionou a dar as costas para valores tão básicos. Evoluímos tanto em algumas áreas, porém negligenciamos as mais importantes.

Então, como compreender quais são os valores e princípios que precisam ser gerados em cada um de nós? Olhe para Jesus! Ele é o modelo perfeito a ser seguido de: **justiça** (cf. Salmos 11.7); **verdade** (cf. João 14.6); **obediência** (cf. 1 João 5.3); **honestidade** (cf. 1 Pedro 3.2); **lealdade** (cf. Salmos 1); **gratidão** (cf. 1 Tessalonicenses 5.18); **fidelidade** (cf. Deuteronômio 32.4) etc. Assim, todos os Seus

ensinamentos e a Sua própria vida e caminhada aqui são lições preciosíssimas.

O Sermão da Montanha é a base dos ensinamentos de Jesus e do caráter cristão, que são pautados nos valores e princípios de Deus. As lições ensinadas nessa passagem vão contra os padrões corruptos e egoístas vividos por tantas pessoas. Nas palavras de Cristo, é visível a importância do **amor**, que, para o mundo, já foi banalizado e distorcido:

> *Eu, porém, vos digo: Amai a vossos inimigos, bendizei os que vos maldizem, fazei bem aos que vos perseguem; para que sejais filhos do vosso Pai que está nos céus. (Mateus 5.44 - ACF)*

Enquanto estivermos amando e servindo só quem nos convém, não estaremos exercendo o caráter de Cristo, e sequer seremos sal da Terra e luz do mundo (cf. Mateus 5.13-14 e 46). Você foi chamada para ser diferente e andar na contramão. Fácil não será, mas lembre-se: é um processo em que o Espírito Santo, a cada dia, irá retirar coisas do seu coração que não pertencem mais à sua nova cidadania celestial, e colocará tudo o que vem d'Ele (cf. Salmos 51.9-11).

O Espírito Santo de Deus lhe ensinará como uma cidadã do Céu anda, fala, age e vê. Você verá através da lente d'Aquele que enxerga tudo. Andará com a presença d'Aquele que está em todo lugar. Falará por meio do poder d'Aquele que era antes do mundo ser; e agirá guiada por Aquele que tudo sabe. Assim, ao final desse processo, tenha certeza: o mundo verá em você a vida de Cristo (cf. Mateus 10.20).

Anotações

Desafio

Olhe para Jesus, medite em Sua Palavra, e ore para que o Espírito Santo mostre a você princípios e valores que brilhavam em Cristo, como: justiça, mansidão, amor, honestidade, longanimidade, honra, paz, benignidade, bondade, gratidão, fidelidade, domínio próprio, paciência, verdade, obediência, lealdade e muitos outros. Anote isso em pequenos pedaços de papel e coloque em uma caixinha. Durante uma semana, antes de iniciar o seu dia, abra um papel com um dos princípios e medite: "Se Jesus vivesse a minha vida, como Ele aplicaria esse valor?".

DIA 3

Deixando as mentiras para trás

por Fernanda Amandio

Leia: Salmos 139.14-18

Recebemos a nova vida por meio da fé em Jesus Cristo. E agora, sem medo, caminhamos redimidas e perdoadas rumo à gloriosa vida que Deus tem reservado para nós. Porém, a verdade é que, no dia a dia, nem sempre estamos assim tão seguras de tudo, e, muitas vezes, no meio do caminho, nos deparamos com diversos sentimentos e pensamentos que tentam colocar em jogo aquilo que recebemos da parte de Deus.

Diante do convite divino para irmos a um lugar mais profundo com Ele, de cara, podemos nos assustar um pouco. Isso, porque, ao olharmos para nós, começamos a nos questionar se, de fato, viveremos todas as Suas promessas e se Ele realmente continua contando conosco apesar das nossas falhas e erros. Temos medo de que o Senhor Se canse de esperar que a nossa vida "dê certo" e transfira todas as promessas preciosas a alguém mais espiritual, que tenha mais unção ou seja mais capacitado. Esses sentimentos e pensamentos frequentemente vêm com tanta força que parece impossível discordar deles, não é? Mas, hoje, quero lembrá-la de algumas coisas.

Não somos boas, e, sozinhas, somos incapazes de amar a Deus da forma que Ele merece. No entanto, por meio da preciosa vida de Jesus, recebemos uma nova identidade e caminhamos nessas verdades, sendo aperfeiçoadas no amor todos os dias. O nosso amor é frágil e imaturo, mas não deixa de

ser real. Precisamos investir tempo para entender e receber as verdades que a Bíblia declara a nosso respeito, agora que estamos em Jesus Cristo:

- *Somos filhas (cf. Gálatas 3.26; Romanos 8.14-15);*
- *Somos sacerdotisas (cf. Apocalipse 1.6-8);*
- *Somos cidadãs do Céu e família de Deus (cf. Filipenses 3.20);*
- *Somos Noiva de Cristo; Sua companheira (cf. Isaías 62.1-5; Oseias 2.16);*
- *Somos coerdeiras com Cristo (cf. Romanos 8.17);*
- *Somos a herança do Filho de Deus (cf. Salmos 2.8; Tito 2.14).*

Os nossos pecados e imperfeições não podem nos impedir de irmos a lugares mais fundos no Seu coração. Jesus não quer que nos sintamos culpadas por, às vezes, não conseguirmos ser tão intencionais ou até mesmo ficarmos estagnadas, com vergonha das nossas falhas e nos escondendo do Seu cuidado. Não! Ele deseja que olhemos para a Sua face, escutemos d'Ele qual é a nossa nova identidade e entendamos o quanto somos dependentes de Sua graça. Ele nos deu essa nova vida e Se dedica a ela nos preparando e transformando a fim de que alcancemos a perfeição da estatura de uma Noiva limpa, imaculada. Por isso, tenha paciência e não desista do processo.

Olhe para Cristo e se entregue com toda a confiança. Ele nos convida a amá-lO com tudo o que somos, ainda que, hoje, isso pareça pouco. Tire um tempo para meditar nas verdades de Salmos 139, peça a Deus que lhe faça crescer na revelação do Seu amor por você! Leia em voz alta o versículo 17 e declare essas verdades quantas vezes for capaz:

Que preciosos para mim, ó Deus, são os teus pensamentos! E como é grande a soma deles! (Salmos 139.17)

Anotações

Desafio

Comece a orar intencionalmente: "Teus pensamentos por mim são magníficos! São incontáveis como os grãos de areia, e são tão preciosos, Senhor. Por isso, peço que esses pensamentos me formem, mudem e mostrem o caminho que devo seguir. Teus pensamentos por mim são a verdade que guia a minha vida!". Após meditar sobre isso, lembre-se: Ele está nos tornando, aos poucos, quem temos de ser.

DIA 4
Guarde o seu coração

por Julia Vitoria

Leia: Provérbios 4.23; Efésios 6.10-18

"Guarde o seu coração!". Quem aí já ouviu essa frase? Não tenho dedos suficientes para contar quantas vezes já ouvi meus pais, meus líderes espirituais e tantas outras pessoas dizerem isso.

Parece uma frase clichê, mas nunca houve um tempo em que ela fosse tão importante, valiosa e urgente! Ainda mais hoje em dia, que o Inimigo tenta nos seduzir com coisas que, aos nossos olhos, parecem ter a aparência boa e agradável, mas no fundo só servem para nos enganar! Ele é intencional e está constantemente tentando nos impedir de viver os planos de Deus e sermos usadas como armas poderosas nas mãos do Senhor! Se não estivermos vigilantes a toda hora e orando por discernimento do Espírito Santo, seremos movidas facilmente pelo o que vemos! Como uma casa fundada sobre a areia, acabaremos abaladas por qualquer vento ou chuva forte. E se não conseguirmos guardar o nosso coração, não estaremos preparadas para viver coisas novas em Cristo, nem saberemos lidar com os processos de amadurecimento em nossa caminhada de fé!

Guardar o coração não é simplesmente colocá-lo em uma caixa e mantê-lo intocável. É conseguir dizer não a tudo que não reflete Jesus na sua vida! É agir de maneira que não sejam suas emoções a respaldarem suas decisões, mas, sim, a Palavra de Deus, lembrando que a sua existência tem o propósito de exaltar o nome d'Ele e isso exige que você se submeta a uma

realidade eterna, agindo de acordo com os Seus padrões. Ele busca uma Noiva que reconheça que toda glória é d'Ele, que não se corrompa com pensamentos egoístas, e que em tudo busque agradá-lO.

Porém, diante disso, surge a dúvida: o que devemos fazer para atingir esse objetivo? Às vezes, pensamos: "É muito difícil, quase impossível", entretanto, quero lembrá-la que na Palavra de Deus encontramos ensinamento suficiente para viver de forma agradável e irrepreensível diante d'Ele! Provérbios 4 diz:

> *De tudo o que se deve guardar, guarde bem o seu coração, porque dele procedem as fontes da vida. (Provérbios 4.23)*

Do nosso coração flui a vida que recebemos de Cristo, então precisamos cuidar dessa fonte! Nos versos seguintes, Salomão recomenda que nos afastemos de tudo que não agrada o coração do Senhor, inclinando o nosso coração para a Sua Palavra (cf. Provérbios 4.24-27)! Em outras passagens, as Escrituras nos ensinam a resistir à aparência do mal, nos revestindo da armadura de Deus (cf. Tiago 4.7; 1 Tessalonicenses 5.22; Efésios 6.10-18), pois é impossível nos guardar sem nenhuma proteção. É como colocar uma capinha de proteção no celular. Ele pode até cair, mas permanece intacto, pois estava protegido! Da mesma forma, em nossa vida, precisamos filtrar aquilo que nos influencia, com o entendimento daquilo que vem de Deus ou não! Devemos nos apegar firmemente ao que vem do Senhor. Caso contrário, devemos repreender e declarar a Sua Palavra, levando todo pensamento cativo a Ele (cf. 2 Coríntios 10.5). É difícil e desafiador, mas não é impossível! Peça direcionamento, ajuda e capacitação ao Espírito Santo, e Ele ensinará todas as coisas!

Anotações

Desafio

Guardar o nosso coração precisa ser algo prático e constante, então quero desafiar você aqui! Talvez você tenha uma grande decisão para tomar, ou talvez algo muito grande aconteceu que a decepcionou ou alegrou! Antes de reagir a tudo isso, pare, pense comigo e faça as seguintes perguntas: "A minha reação irá refletir o caráter de Cristo? O que pretendo fazer agora vai trazer glória para o nome de Jesus?". Depois de fazer isso, conte como foi sua experiência! Quando guardamos o nosso coração, nosso ponto de partida não é baseado em nossas vontades e desejos, mas, sim, na vontade do Pai!

DIA 5
Ótica do Reino de Deus

por Lissa Subirá

Leia: Tiago 1.2-4; Efésios 4.11-15; Marcos 6.30-43

O processo de amadurecimento costuma vir acompanhado por dores de crescimento. Ao olhar para a sua própria história, você provavelmente confirmará que dos momentos mais angustiantes surgiram seus maiores aprendizados, e algo que eu amo sobre o nosso Deus é justamente isso: Ele tem o hábito de transformar nossas feridas em canais de cura e preencher nossas fraquezas com autoridade.

Se ainda dói, não acabou. O esmagamento das uvas, o casulo da borboleta e o refinamento do ouro só fazem sentido quando vemos o resultado. Da mesma forma, você e eu não somos "esticadas" sem um objetivo, temos um alvo definido: crescer persistentemente até alcançar a estatura de Jesus, em fé e no conhecimento de quem Ele é (cf. Efésios 4.11-15).

Por exemplo, sempre desejei ser uma dessas pessoas disciplinadas, que acordam cedo e são produtivas ao mesmo tempo em que ajudam a todos com um grande sorriso no rosto. Apesar disso, não me lembro uma única vez de ficar animada no momento em que meus pais me corrigiam, com o objetivo de que eu alcançasse essas resoluções. Penso que fazemos a mesma coisa quando não estamos dispostos a enfrentar os desafios do Evangelho ou manter uma postura "ensinável" e humilde diante de Deus.

Fomos chamadas para a maturidade espiritual, e precisamos de Cristo se queremos resplandecer excelência em qualquer âmbito dessa vida. Até mesmo Ele cresceu em obediência por tudo que suportou (cf. Hebreus 5.8). E também nós, quando entendemos o valor das provações, passamos a considerá-las motivo de grande alegria.

Afinal, das lutas obtemos perseverança e, dessa perseverança, maturidade (cf. Tiago 1.2-4; Hebreus 12.11). Em outras palavras, nossa perspectiva no momento do sofrimento determina, muitas vezes, o que podemos levar dali.

É então que a grande mudança de ótica entra, e aprendemos que, enquanto não temos controle sobre as circunstâncias ao nosso redor, ainda somos responsáveis por nossas reações a elas. Vejo o quanto preciso crescer toda vez que olho para Jesus, e isso me motiva.

É por essa razão que, neste dia, quero lembrá-la: abrace o processo com alegria, mesmo em meio ao caos aparente, e se quebrante diante do Senhor. Reconheça o amor por trás de palavras que a desafiam e ouse enxergar o mundo pela ótica do Reino de Deus. Dessa forma, sua vida será a evidência de que as uvas pressionadas produzem suco, as borboletas espremidas aprendem a voar e o ouro derretido pelo fogo deixa de ter impurezas.

Anotações

Desafio

Leia Marcos 6.30-43. Imagine-se no lugar de Jesus e escreva quais reações você provavelmente teria no lugar d'Ele. Você pode usar as perguntas a seguir como referência: eu teria reclamado ao me sentir cansada e ver mais pessoas necessitadas? Colocaria o bem delas antes do meu? Além disso, o limite dos meus recursos naturais costuma definir o meu limite, ou eu descanso em Deus, enxergando além do que os olhos podem ver? Acredito que as adversidades são um palco para a manifestação da glória de Deus? Estou disposta a colocar minhas próprias mãos em ação para ver o sobrenatural?

Ao acabar de escrever, pergunte a alguém próximo quais reações ele ou ela acham que você teria em um cenário parecido e compare as respostas. Valendo!

DIA 6
Ser x fazer

por Lívia Bember

Leia: Lucas 10.38-42; 2 Coríntios 3.17

Você sabia que Deus a ama da mesma forma que Ele ama um ladrão? Um assassino? Uma prostituta? Uma pessoa corrupta?

Quando me deparei com essa verdade pela primeira vez, senti-me extremamente desconfortável. Afinal, eu "batalhava" tanto para ser aprovada. Perceber que, não importa o que você faça de bom ou ruim, o amor de Deus não vai aumentar nem diminuir é chocante. Estamos acostumadas com amores condicionais, que se movem de acordo com as nossas atitudes ou a falta delas, mas uma das coisas mais impressionantes em Deus é que o Seu amor é constante, diferente de qualquer outro que depende das circunstâncias. O amor d'Ele é incondicional e não tem limites.

Lembro-me de, em 2015, ter fundamentado o meu relacionamento com Deus em minhas boas atitudes e, claro, nas más também. Liderava um grupo cristão de missões universitárias em minha faculdade, era professora na escola bíblica dominical para crianças, e poderia listar aqui as inúmeras atividades que eu fazia. Eram tantas coisas que, sem perceber, deixei-me levar pela mentira de que, quanto mais eu fazia, mais amada eu me tornava. O impressionante é que não consegui me sustentar nisso por muito tempo, até porque, quan-

do eu não fazia, ou quando pecava, sentia-me indigna de ser amada, e parecia estar distante de Deus. É nítido como viver assim é insustentável.

Foi no Shores of Grace (uma base missionária em Recife) que me deparei com essa verdade de forma prática. Quando cheguei na base, um dos líderes me perguntou: "Quem é você?". Logo respondi: "Sou a Lívia Bember, estudante de Psicol...". Foi quando, interrompendo-me, ele disse: "Não, não. Quero saber quem é você, não o que você faz". Fiquei calada e passei dias pensando nesse questionamento. Não sabia me definir sem usar o que eu fazia. No Shores, vi pessoas malvistas pela sociedade sendo tão amadas e bem tratadas quanto celebridades e pastores admiráveis. Aquilo me confrontou. Lá, eu percebi que existia uma liberdade para ser filha, para ser quem Deus dizia [e ainda diz] que eu era. Entendi que isso não estava centralizado em uma base missionária ou lugar físico, mas, sim, em um estilo de vida que eu só não havia compreendido ainda: o secreto.

Quando voltei para São Paulo, enfrentei uma constante guerra para compreender no coração que nasci para ser amada e para amar como Deus me ama. Tive de afirmar diversas vezes para mim mesma que liberdade é não ser escrava de mim, não caminhar baseada em meus sentimentos e achismos, e, sim, acorrentar-me n'Ele e em Suas verdades. Foi no secreto que entendi profundamente que **eu faço porque sou, e não sou porque faço**. Foi ali que recebi a confirmação em minha mente e coração de que o amor de Deus é incondicional; ele não aumenta com meus acertos nem diminui com meus erros. Aprendi no

secreto que **Ele não muda**; que a presença de Deus na alma do crente o liberta do legalismo e o influencia a fazer a vontade do Pai por amor. Por amor, fazemos.

Algumas vezes, tudo o que Ele quer é que eu não faça nada e pare tudo só para desfrutar da Sua presença. Entendi que devo "trabalhar" por amor, para estar mais perto do Pai, e não para que Ele me veja ou para que eu me sinta aceita. Secreto é onde ninguém me vê, só Ele. É lá que nada mais importa além da minha vulnerabilidade e da Sua presença comigo.

Você pode ler tudo isso e ainda achar que não está pronta, que precisa batalhar muito ou, até mesmo, que não consegue compreender isso de forma prática. Mas a verdade é que, da mesma forma que não se ensina um peixe a nadar, não se ensina um filho a ser filho. Você é filha amada — apesar dos erros e acertos. Só precisa buscar no Secreto as verdades que Ele tem para sua vida a fim de ter essa convicção, não para que Ele a ame mais, até porque isso é impossível.

Ora, este Senhor é o Espírito; e onde está o Espírito do Senhor, aí há liberdade. (2 Coríntios 3.17)

Anotações

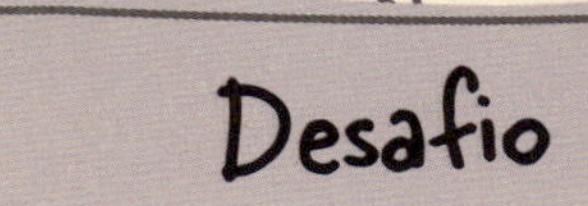

Quem é você [se anulássemos o que você faz]? Quem é você apesar do que faz? Tire um tempo para olhar para dentro de si e responder a essas perguntas. Se não souber responder, escreva que você é filha amada, pois essa é a verdade de Deus para sua vida [e continue tentando ouvir d'Ele afirmações ainda mais específicas]. Que essa verdade a acompanhe para sempre. Oro para que o Espírito Santo a lembre dela constantemente.

DIA 7

Escute o Espírito Santo

por Rapha Gonçalves

Leia: Atos 1.8

Sempre me considerei uma pessoa corajosa. Nunca fui de ter medo de me jogar de cabeça nas coisas que apareciam na minha frente, até que um dia me vi amedrontada ao ter de enfrentar uma dor que parecia pequena dentro de mim. Era como se fosse impossível me ver livre dela. Fui percebendo, aos poucos, que aquilo começou a se tornar muito maior, ao ponto de eu não conseguir mais ouvir nada além das inseguranças que ela me trazia. E foi bem ali que Jesus, com toda a Sua paciência, mostrou-me que eu precisava encarar aquela dor e resolver tudo antes que Ele pudesse me entregar coisas maiores. Deus desejava que eu fosse curada verdadeiramente para que, finalmente, pudesse amadurecer.

A verdade é que, todos os dias, somos convidadas a fazer escolhas, e sempre podemos escutar a nossa mente carnal (cf. Atos 5.3-4) ou ao nosso melhor conselheiro, o Espírito Santo (cf. João 16.7). Além de ser nosso consolador, Ele também é Deus, e anseia por um relacionamento conosco. O Espírito é o nosso intercessor e sabe exatamente o que se passa em nosso coração (cf. Romanos 8.27). Então, mesmo sabendo disso, por que ainda rejeitamos um dos maiores presentes que nos foi dado? A Palavra revela que os tolos se fartam dos seus próprios conselhos e são destruídos por estarem satisfeitos consigo mesmos (cf. Provérbios 1.30-32). A nossa falta de humildade em

nos submetermos à voz de Deus nos leva à destruição e cada vez mais longe da vontade perfeita que Ele tem para nós.

O que Deus espera é que tomemos nossas decisões em conjunto com o Espírito Santo e permitamos que Ele guie nossos caminhos, pensamentos e atitudes. A questão é que, quando não alimentamos nosso espírito, a carne começa a controlar nossa mente com pensamentos negativos e sutis. Por outro lado, ao focarmos constantemente em nosso relacionamento com o Espírito Santo, alimentando-nos da verdade — isto é, a Palavra de Deus —, fortalecemos nosso espírito, e nossa mente é subjugada à influência da Sua voz (cf. Josué 1.8; Filipenses 4.8).

Eu me lembro bem de quando senti Deus me chamando para largar tudo; meu trabalho, minha zona de conforto e até minha casa. Contudo, antes de tomar a decisão, um dos meus líderes me disse: "Rapha, se você não tiver uma palavra de Deus para fazer essas coisas, quando tudo ficar difícil, você vai querer desistir". Por isso, decidi correr atrás da confirmação que precisava, e foi justamente isso que me sustentou nos dias em que pensava que não conseguiria mais. Era nesses momentos que eu me lembrava das palavras de Deus, e tudo voltava a fazer sentido.

O nosso amadurecimento vem através da nossa intimidade com o Pai. Quando somos bebês na fé, ainda estamos aprendendo a ouvir Sua voz, mas, quando nos tornamos adultos, descobrimos exatamente como reconhecê-lO. Buscar a direção de Deus nos faz maduras e nos traz a certeza de um futuro brilhante. Você está disposta a olhar além dos seus medos e inseguranças, aguçando os seus ouvidos às orientações do Espírito Santo?

Anotações

Desafio

Convide o Espírito Santo para fazer parte da sua rotina. Coloque um lembrete para não esquecer de reconhecer a Sua presença durante todo o seu dia. Então, tire um tempo com Deus e peça para Ele revelar cinco coisas que pensa sobre você. Junto com isso, peça uma confirmação de algo que precisa através da Palavra de Deus.

DIA 8
Discernimento de tempos

por Vitoria Dozzo

Leia: Eclesiastes 3.1-8

Saber a hora certa de ir é tão importante quanto saber para onde você está indo. Isso foi algo que aprendi ao passar por um período de espera. Felizmente, esse tempo se encerrou e agora, com grande alegria, enquanto escrevo este texto, estou vivendo a concretização de uma promessa de Deus que sempre soube que aconteceria. Não foi rápido e nem fácil aguardar, mas hoje percebo que precisava entender que existia um tempo certo para isso e que, para chegar aqui, eu teria que passar por muitos desafios. Jesus também passou por situações difíceis que faziam parte do processo. Cheio do Espírito Santo e guiado por Ele, Cristo foi para Seu tempo no deserto (cf. Lucas 4.1). Não é raro pensarmos que Deus não nos levaria para um lugar assim, mas a verdade é que Ele leva, porque há tempo para todas as coisas debaixo do céu (cf. Eclesiastes 3).

Deus trabalha com processos, e Ele sabe exatamente quando começá-los e encerrá-los. Sua bondade infinita nos guia e nos leva para cada estação, para que, dia após dia, possamos viver aquilo que Ele preparou. O interessante é que nada do que Ele nos dá deve parar em nós: Deus trabalha no individual para alcançar o coletivo, e, em cada tempo específico das nossas vidas, Ele tem algo para liberar.

Quando Davi foi ungido Rei (cf. 1 Samuel 16.12-13), ele ainda era um adolescente; seu reinado só começou muitos

anos depois. Ele sabia exatamente aquilo que foi chamado por Deus para ser; no entanto, se tivesse fugido do processo e tentado acelerar a espera (ou até mesmo ignorado), não teria vivido com excelência algo que o Senhor já havia depositado sobre ele. É por essa razão que entender o tempo de Deus e viver Sua vontade nos prepara da melhor forma para aquilo que Ele deseja semear em nós. Existem coisas que temos convicção de que vamos viver, mas, na maior parte das vezes, não sabemos quando. Por isso, a chave é esperar com profundidade e se resguardar com sabedoria para sermos lançadas quando esse tempo chegar ao fim.

Seu processo pode ser sobre qualquer coisa. Talvez Deus tenha lhe falado que você vai percorrer as nações, ou se tornar presidente do país. Quem sabe você seja chamada para um ministério específico, ou para constituir família. Talvez seja uma espera a curto prazo, como receber um romper financeiro, profissional, criativo, ou começar uma faculdade, fazer uma viagem internacional e por aí vai. Seja o que for, o que posso dizer é: viva o processo com intensidade para receber, no tempo certo, aquilo que Deus preparou.

Por anos, esperei e orei por uma mudança de Estado — coisa que Deus disse que eu viveria. Muitas vezes, quis acelerar o processo e dar o meu jeito, mas nosso misericordioso Senhor não me deixou atrapalhar o Seu tempo. Recentemente, me mudei para São Paulo, e tenho a convicção de que aconteceu no momento que Ele preparou. Por isso, foi o melhor que eu poderia viver.

Anotações

Desafio

Meu desafio para você, hoje, é descansar e esperar. Entre no seu quarto, feche a porta e peça para Deus preparar seu coração a fim de viver a espera daquilo que você sabe que precisa. Entregue nas mãos d'Ele e busque passar por esse processo na Sua companhia. Eu lhe convido a jejuar por isso e dizer: "Jesus, nas Suas mãos eu entrego a minha agenda. Marque os acontecimentos nos dias e nas horas que Você desejar".

DIA 9

Saiba o seu porquê

por Gabriela Gomes

Leia: Habacuque 2.2-3

Qual o meu propósito de vida? Para quê nasci? Por que fui gerada? Qual é a minha missão? Eu já me fiz muito essas perguntas!

Lembro-me de quando era muito pequenininha e via meu pai ministrando nas igrejas. Aquilo me fascinava! Por algum tempo, viajei com ele para vários lugares do Brasil — fora do país, também —, e ouvia muitos testemunhos, além de pessoas alcançadas e muitas, curadas. Era maravilhoso e eu também aguardava ansiosamente para viver o meu chamado, mesmo não sabendo exatamente qual era.

Quando tive a minha primeira experiência real com Jesus e comecei a desfrutar de uma intimidade com Deus que jamais tinha vivido antes, Lhe entreguei todos os meus questionamentos e deixei com que Ele fosse a resposta para eles. Ao longo desse processo, entendi dois dos mais importantes princípios. O primeiro foi a respeito do meu propósito. O Senhor me disse: "Filha, você nasceu para Minha glória e para o Meu prazer!". Aquelas palavras foram tão poderosas dentro de mim! Primeiro, porque nasci de Deus e essa era a minha identidade, e o meu chamado era conhecê-lO e ser conhecida por Ele. Isso é muito forte! Não importa quão relevante seja a sua missão, você existe especialmente para a glória de Deus. Ele nos fez para o Seu prazer.

Depois de entender que eu sirvo para glorificá-lO, o segundo grande princípio que o Senhor me ensinou foi: a missão é

d'Ele e Ele me chamou para fazer parte disso. Eu me recordo de que, por todo lugar que eu ia, as pessoas, muitas vezes, não sabiam o meu nome, mas se referiam a mim pelo nome do meu pai. Então, certa vez, eu falei com Jesus: "Senhor, eu sei que Você tem um chamado para mim, por isso, me mostre. Eu não quero ser reconhecida pelo meu pai ou pela sua história, eu quero ter a minha história e meu chamado". Naquela hora, o Senhor me corrigiu **veementemente**, dizendo: "Filha, eu não te chamei para ser reconhecida por quem seu pai é ou pelo que você é. Eu te chamei para carregar a Minha presença!". Aquilo me marcou e, naquele momento, chorei muito e entendi que meu chamado não tinha a ver comigo nem com a minha própria missão ou ministério. Somos apenas instrumentos, vasos na mão do Oleiro! Eu estava sendo forjada para carregar ainda mais d'Ele! Por isso, é necessário perseverarmos em oração, esperando até que a Ele nos revele o Seu plano. Deus nos convida a participar dele ao Seu lado e essa é uma das partes mais incríveis do nosso propósito!

Para finalizar, Jesus nos chamou para trazer luz, amar e discipular pessoas! Isso quer dizer que o nosso porquê está mais relacionado ao outro do que a nós mesmos, e Cristo é o nosso maior modelo de entrega e uma vida com propósito! Ele dedicou toda a Sua existência para amar a Deus e as pessoas, e esse é maior exemplo a ser seguido. A partir de então, estaremos nos dedicando a conhecer a Deus e fazer o Seu nome conhecido por toda a Terra, cumprindo o chamado presente em Isaías 6, que se estende a todos nós ainda hoje!

Depois disto, ouvi a voz do Senhor, que dizia: – A quem enviarei, e quem há de ir por nós? Eu respondi: – Eis-me aqui, envia-me a mim. (Isaías 6.8)

Anotações

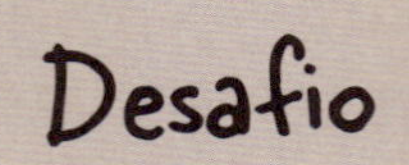

Desafio

Quero desafiá-la a orar e confiar! O chamado é de Deus! Muitas vezes, nos afligimos porque queremos entender tudo, mas, nesse momento, descanse e confie, o plano é d'Ele e Ele revelará! Apenas seja luz por onde passar, ame Cristo e as pessoas, e viva para a glória de Deus em obediência!

DIA 10

Construa uma história com Deus

por Isabela Borges

Leia: Salmos 18.31-36

Estamos constantemente escrevendo nossa história aqui na Terra. Cada dia, uma página; cada estação, um capítulo, formando o lindo livro da nossa vida. Mas, assim como os homens e mulheres da Bíblia, nós temos uma escolha, e devemos nos fazer essa pergunta: queremos escrevê-la junto com Deus? Enquanto meditamos na leitura de hoje, quero convidá-la a refletir: você tem embarcado nessa jornada com o Senhor ou está apenas permitindo que Ele ocupe um espaço na história que você mesma está escrevendo?

Para falar sobre essa questão, gosto de usar como exemplo a vida de Davi. Mesmo cometendo vários erros, ele foi chamado de "homem segundo o coração de Deus", porque sua paixão pelo Senhor era incontestável. Até hoje, sua devoção e submissão nos inspiram a não mais vivermos por nós mesmas, mas a embarcarmos na aventura que Deus tem escrito para nós. Em Salmos 18, Davi escreve uma canção de agradecimento ao Senhor e, por todo o capítulo, ele descreve suas batalhas e como Deus lhe deu a vitória em cada uma delas. O salmista exalta ao Senhor Deus poderoso e soberano, que cuidou das grandes lutas e também Se preocupou com os pequenos detalhes de sua vida.

Muitas vezes, acreditamos que nossa caminhada será uma constante escalada ao topo de uma montanha, mas confor-

me vamos amadurecendo, percebemos que ela nem sempre será regular. Podemos passar por vales, lugares difíceis, travar batalhas ou até ter de saltar sobre penhascos. A diferença é que, quando estamos caminhando com Deus, encontramos propósito. Em todos os momentos, Ele é fiel e nos leva ao caminho perfeito.

É por entender isso que Davi, mesmo com vários desafios, exalta a Deus e a Sua fidelidade, descrevendo como Ele o fortaleceu. Ainda diz que recebeu pés ligeiros como os da corça, firmados nas alturas, que correm e não tropeçam, que sobem e não caem. Aliás, você já viu uma corça correndo pelas montanhas? Ela é um animal terrestre, típico de florestas, bem parecido com os cervos.[1] Entre todos os animais, Davi se comparou a esse, que é simples e pequeno, mas que tem a habilidade de saltar com firmeza e subir até os lugares altos (cf. Salmos 18.33).

Ele continuou dizendo como Deus treinou sua mão para o combate e lhe deu o escudo da salvação. Isso significa que o Senhor estava com ele em todos os momentos para andar no caminho proposto. Agora, você se lembra da pergunta que fiz no começo? Você deseja construir sua jornada junto com Deus? Ele está empolgado para escrever, a cada dia, sua história com você. O tempo todo, o Senhor é um socorro bem presente; todas as noites de choro com Ele têm um propósito, e os desafios que você encontra servem para exaltá-lO.

---

[1] CORNELIS, J. *et al.* **Impact of season, habitat and research techniques on diet composition of roe deer (Capreolus capreolus)**: a review. Publicado por *Journal of Zoology* em setembro de 1998. Disponível em *https://zslpublications.onlinelibrary.wiley.com/doi/abs/10.1111/j.1469-7998.1999.tb01196.x*. Acesso em março de 2021.

Anotações

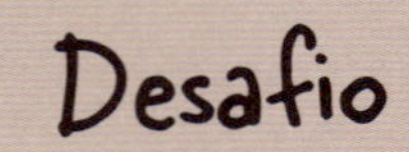

Desafio

Identifique cinco momentos importantes da sua vida e escreva. Depois, olhe para cada um deles com carinho e responda para si mesma: onde Deus estava nessa situação? Qual foi o propósito desse momento que vivi? Quais foram as ferramentas que adquiri nesse processo? Como posso glorificar a Deus por meio dessa circunstância?

PARTE II

Construindo uma vida espiritual

DIA 11

Seja biblicamente embasado

por Clara Mendes

Leia: Hebreus 4.12; Mateus 4.1-11

Em todo o tempo, estamos expostas ao padrão deste mundo, seja nas redes sociais, em programas de TV ou na roda de amigos do trabalho. As mentiras contra os valores do Reino de Deus bombardeiam nossas mentes de maneira indiscreta e convincente. Portanto, os filhos de Deus são desafiados diariamente a nadar contra a maré, em direção à renovação da mente (cf. Romanos 12.2), e, nesse caminho de santificação, a Palavra de Deus é inegociável. Jerry Bridges, autor e palestrante cristão, escreveu em seu livro:

> *Sabemos que o único modo pelo qual podemos evitar a conformidade aos valores deste mundo é a exposição persistente à Palavra de Deus, de modo que seu ensino possa influenciar nossos valores e convicções continuamente.*[1]

Sem o entendimento sobre o impacto das Escrituras na construção da vida espiritual, não existe a necessidade do aprofundamento bíblico. Precisamos ir além da leitura, descobrindo o poder do estudo da Palavra ao explorar textos, significados e respostas para vida cristã. Tim Stafford, colunista na revista Cristianity Today, escreveu:

> *A cada dia, a igreja tem se tornado mais e mais como o mundo que ela supostamente busca mudar.*[2]

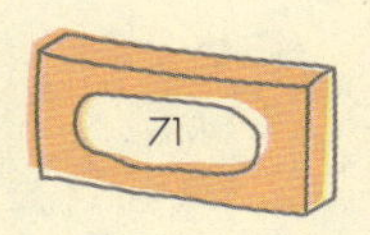

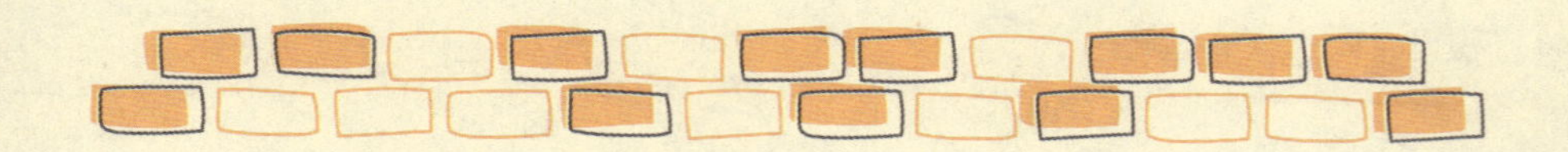

Sendo assim, para fazer a diferença, devemos saber o que pensamos e cremos de diferente. Caso contrário, estaremos nos conformando com este mundo.

Em Salmos 19, Davi exalta a glória de Deus em Sua Palavra, e diz que a Sua Lei revigora a alma, torna sábio o simples, alegra o coração, ilumina os olhos, e é totalmente justa e eterna! Entretanto, apesar da Sua Palavra ser suficiente, somos seduzidas pelos discursos e falsa sabedoria do mundo de forma que somente com a mente blindada pelo conhecimento de Deus e suas verdades resistiremos e permaneceremos firmes na fé.

Ingenuamente, por vezes, acredito que minha opinião e minhas experiências sobre a vida, sentimentos ou decisões são confiáveis, mas conforme estudo a Bíblia, sujeito tudo ao verdadeiro conhecimento que está na Escritura, divinamente inspirada (cf. 2 Timóteo 3.16), reconhecendo que nada sei e que Deus tudo sabe em Seu eterno poder, glória e sabedoria. Ousaremos, então, caminhar sem a direção da Sua Palavra? De maneira alguma, pois ela é "[...] lâmpada que ilumina os meus passos e luz que clareia o meu caminho" (Salmos 119.105 - NVI).

---

[1] BRIDGES, Jerry. **Crescimento espiritual**: como amadurecer em Cristo. São Paulo: Vida Nova, 2019, página 63.

[2] STAFFORD, Tim. **The third coming of George Bama**. Publicado por *Cristianity Today* em 05/08/2002. Disponível em *https://www.christianitytoday.com/ct/2002/august5/third-coming-of-george-barna.html*. Acesso em fevereiro de 2021.

Anotações

Desafio

Quero desafiar você a descobrir um novo lugar dentro das Escrituras na sua rotina e ao longo das suas ocupações: inicie um novo estudo bíblico com as suas amigas. Separe um tema ou escolha um livro da Bíblia. A transformação, a "metamorfose", acontece de dentro para fora; deixe Deus iluminar sua mente e certamente você será diferente. Viva a imersão na Palavra!

DIA 12

Contemplação como estilo de vida

por Esther Marcos

Leia: Salmos 141.8

Dizem que toda criança, até os cinco anos de idade, contempla a vida dos pais para aprender e reproduzir o que eles fazem.[1] Nessa idade, eu amava ver a minha mãe louvar; o jeito que ela fechava os olhos e levantava as mãos, a sua entrega, era algo que me encantava e, de igual modo, eu reproduzia isso. Da mesma forma, com o meu pai. Eu observava cada detalhe quando ele pregava e, então, quando chegava em casa, repetia para as minhas bonecas exatamente o que o via fazendo. Foram incontáveis as vezes em que peguei as maquiagens da minha mãe e as gravatas do meu pai para brincar de culto com os meus brinquedos.

Em nossa caminhada com Deus, não é diferente. Quando decidi aprofundar o meu relacionamento com Jesus, deparei-me com a necessidade de contemplar para reproduzir. Ou seja, precisamos ser como crianças, que imitam seus pais desde o começo de suas vidas. Como o Apóstolo Pedro fala, na minha jornada espiritual, eu era um bebê que acabara de nascer:

> *Como crianças recém-nascidas, desejem de coração o leite espiritual puro, para que por meio dele cresçam para a salvação. (1 Pedro 2.2 - NVI)*

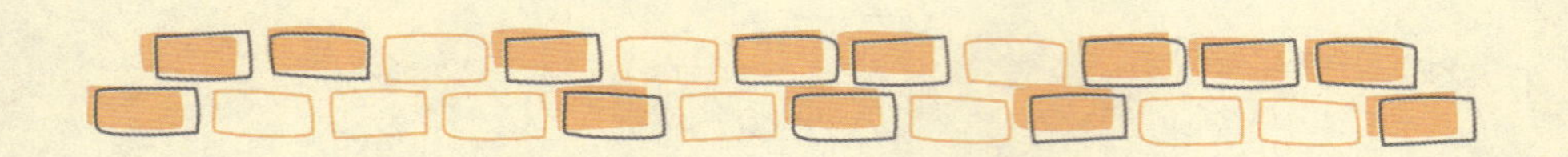

Então, comecei a meditar nas Escrituras à procura de alimento para crescer e me fortalecer, mas, acima de tudo, passei a buscar desesperadamente conhecer a Jesus através da Palavra a fim de seguir o Seu exemplo. Para conseguir imitar alguém, precisamos conviver com essa pessoa. Por isso, dia após dia, eu buscava mais, até que, por caminhar com Cristo, comecei a aprender os Seus passos. Como uma criança, fui reproduzindo o Seu jeito de andar, falar e pensar.

Não afirmo que já cheguei aonde queria, tampouco que os meus passos são tão corretos e perfeitos como os d'Ele (cf. Filipenses 3.12), porque, como uma criança, costumo cair — e muitas vezes. Contudo, o importante é que continuo a segui-lO e permaneço tentando imitá-lO. A contemplação é um estilo de vida, porque, mesmo alcançando a maioridade, ainda não chegaremos à perfeição. É necessário, a cada dia, contemplar a Jesus para aprender a ser como Ele.

E teria melhor momento para isso que o Secreto? Onde você pode observar com cuidado cada passo, cada palavra que Jesus declarou por meio da Bíblia? Onde você estará na Sua presença, podendo sentir o Seu abraço? Onde o Espírito Santo revelará a você mistérios na Palavra nunca vistos antes? Não, não há lugar melhor para contemplá-lO. Firme os seus olhos em Cristo. Comece a ter um momento do seu dia só com Ele, seja no Secreto ou em uma pausa do trabalho para admirar a criação. Só pare, veja, admire e contemple para aprender a ser como Ele (cf. Mateus 6.6).

---

[1] MOURA, Maria Lucia; RIBAS, Adriana. **Imitação e desenvolvimento inicial:** evidências empíricas, explicações e implicações teóricas. Rio de Janeiro: Universidade do Estado do Rio de Janeiro, Estudos de Psicologia, 2002.

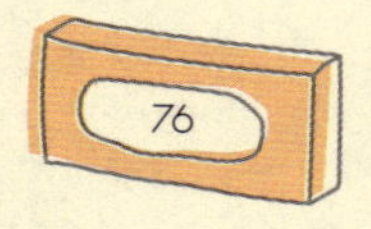

Anotações

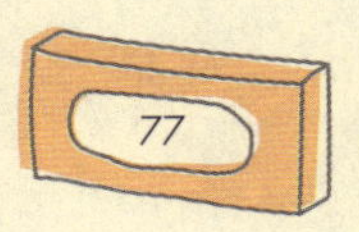

Desafio

Divido aqui com você alguns passos que aplico no meu dia a dia. Peço que não faça esse desafio só hoje, mas carregue para a sua vida. Primeiro: aumente o seu tempo de contemplação, como uma criança que observa atentamente cada passo do seu pai; contemple o caráter do seu Salvador. Segundo: em cada decisão, fala, atitude, escolha do que vestir, ou até mesmo quando for decidir o que ouvir, pergunte-se: "O que Jesus faria?"; então, reproduza o que você aprendeu através de sua convivência com Ele. E não se preocupe! Caso tenha alguma dúvida, pergunte. Afinal, Ele sempre estará ao seu lado.

DIA 13

Intencionalidade na vida de oração

por Fernanda Amandio

Leia: Atos 4.30; Mateus 6.5-13

A Bíblia, diversas vezes, expressa o poder da oração e seus grandiosos efeitos, convidando-nos a viver essa realidade em nossa caminhada cristã. Mas, afinal, o que devemos orar? E como devemos realizar essa prática espiritual? Vamos nos aprofundar juntas naquilo que a Bíblia nos ensina sobre a oração. Primeiro de tudo: por que orar? A verdade é que a oração é uma das principais maneiras de nos relacionarmos com Deus, compartilharmos o nosso coração e ouvirmos sobre quem Ele é e também aquilo que deseja fazer em nós e através de nós. Ela é uma fonte de troca de afeições e amor no Lugar Secreto. A segunda coisa, que é a mais preciosa de todas, é que a Bíblia nos mostra que, através da oração, devemos interceder uns pelos outros diante de Deus para que haja transformação verdadeira.

Hebreus 7.25 revela Jesus ressurreto interagindo em pleno relacionamento com o Pai. Esse versículo nos chama a atenção para a necessidade de entendermos o valor da intercessão nos planos de Deus. Como isso é poderoso! E o que devemos orar? A vontade de Deus. O primeiro princípio da intercessão é orarmos aquilo que Deus deseja, o que o Senhor nos diz que devemos orar, ou seja, temos de estar cheias do conhecimento do que está no coração do Pai e então, no lugar de oração, decla-

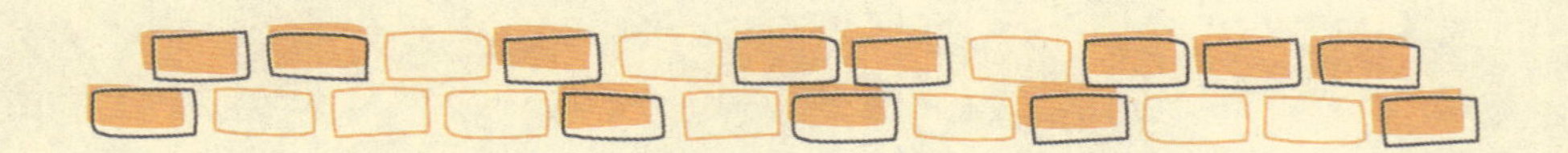

rar e clamar por todas essas coisas. E como seremos cheias do conhecimento de Deus a ponto de sabermos Seu santo desejo, Suas dores, Seus pensamentos sobre as pessoas e tudo o mais? Mergulhando no entendimento das Escrituras! A Bíblia é a fonte que nos conduz a orar a partir da verdadeira compreensão das coisas espirituais. Ela funciona como um poderoso material para a nossa vida de oração, de forma que a nossa conversa com o Senhor passa a ser mais prazerosa e eficaz quando usamos a própria Palavra de Deus para falarmos com Ele e fazermos declarações. Dessa maneira, oramos com plena consciência e conhecimento de quem Ele é, do que pode fazer e até clamando para que Ele faça novamente o que já fez em outras ocasiões. E isso nos fortalece em nossa caminhada cristã, gerando em nós, transformação radical, por simplesmente estarmos mergulhados nessa interação santa com Ele e Suas palavras.

O lugar de oração renova a nossa fé, aumenta o nosso entendimento, cura-nos, transforma, capacita, libera o poder de Deus entre os santos, bem como amor e compaixão da parte do Senhor em nossos corações. Não há nada mais verdadeiro do que entendermos que agora, uma vez redimidas, somos convidadas a crescer em oração. Fomos feitas para interagir com Ele e sermos "casa de oração", tanto agora como no futuro. Essa é uma das estratégias de Deus para incluir os santos no governo com Ele, e, quando compreendemos isso, a oração passa a ser prazerosa, pois são os momentos em que o Senhor divide conosco Seu coração e capacita para participar daquilo que Ele está fazendo.

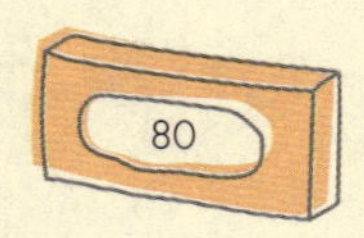

Anotações

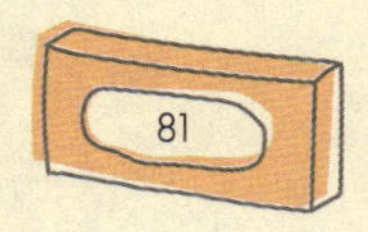

Desafio

Agora eu desafio você a provar desse poder ao final desta leitura. Pegue sua Bíblia e um mapa-múndi em sua casa, coloque uma música de adoração no fundo, e comece a pedir que o Espírito Santo compartilhe o coração de Deus com você. Ele a conduzirá a orar por um país, um povo ou regiões específicas, usando as Escrituras para revelar a vontade do Pai para essas pessoas e nações. Use Provérbios 31.8-9 como base e deixe que o Espírito guie você.

DIA 14

Quebre o seu vaso

por Julia Vitoria

Leia: Marcos 14.3-9

Existem várias maneiras de desenvolvermos nossa vida espiritual e sermos constantes no nosso relacionamento com o Senhor: leitura bíblica, oração, jejum e adoração são algumas delas. Mas, hoje, quero falar especificamente sobre a adoração. Atualmente, vemos muitos criando a sua própria ideia do que isso significa e até mesmo cultuando a própria expressão da adoração. Por exemplo, dão mais valor à música e aos sentimentos que ela traz do que a Deus, que é digno de todo louvor. Às vezes, caímos no erro de pensar que só devemos adorar quando sentimos algo, seja um arrepio, uma sensação de gratidão, vontade de chorar, ou quando estamos no culto e a banda está tocando. Mas isso não é verdade. Devemos desconstruir essa ideia de que, para adorar, é necessário certo "ambiente" ou música.

Quando lemos as Escrituras Sagradas, vemos um exemplo sincero e genuíno do que é a adoração. Em Marcos, há uma passagem que relata:

> *Quando Jesus estava em Betânia, fazendo uma refeição na casa de Simão, o leproso, veio uma mulher, trazendo um frasco feito de alabastro com um perfume muito valioso, de nardo puro; e, quebrando o frasco, derramou o perfume sobre a cabeça de Jesus. (Marcos 14.3)*

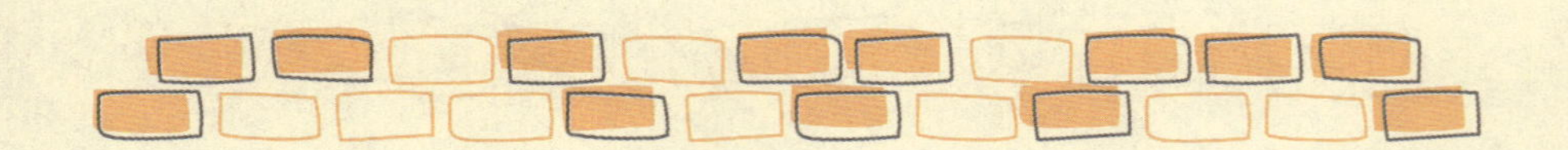

No momento em que Cristo estava na casa de Simão, não havia nenhuma banda tocando, nenhum "ambiente propício", nem mesmo expectativa de arrepio ou choro. Aquela mulher simplesmente entrou naquele cômodo e derramou todo perfume que tinha dentro do frasco de alabastro, aos pés de Jesus. Alguns estudos dizem que um frasco desse tipo custava 300 denários (cf. Marcos 14.5), o que era equivalente a um salário anual de um lavrador naquela época.[1] Aquilo que custou mais ou menos 365 dias de trabalho e esforço, ela simplesmente derramou aos pés de Jesus! Esse ato demonstrou amor e entrega genuína, e mudou a atmosfera daquela casa. Os que estavam ao redor não entendiam, mas ela foi movida em amor e por amor a Jesus!

Portanto, não espere por qualquer tipo de sentimento para adorar a Jesus. Quebre o seu vaso aos pés do Senhor todos os dias! Que a sua vida seja a sua adoração a Deus. Que, ao se deitar, levantar, respirar, ou fazer qualquer outra coisa, você possa escolher fazê-lo como uma adoração ao Senhor. Expresse a Ele o quanto você O ama. Que tudo o que você fizer seja por amor a Jesus; assim, o nome do Senhor será exaltado através de sua vida. Quando O adoramos na beleza da Sua Santidade, somos edificadas, transformadas e renovadas. E, dia após dia, nossa vida espiritual é construída no fundamento que é o Senhor, nosso Deus.

---

[1] RYRIE, Charles. **A Bíblia anotada**: edição revisada e expandida. Barueri: Sociedade Bíblica do Brasil, 2007, página 974.

Anotações

Desafio

Toda manhã quando acordar, antes de fazer qualquer coisa, faça essa pergunta para si mesma: "O que posso fazer hoje em adoração a Deus? Como posso fazer do meu dia um ato de adoração a Ele? Como posso quebrar meu vaso aos pés do Senhor hoje?". Ao completar esse desafio, escreva no espaço de anotações e, se quiser, compartilhe com alguém.

DIA 15

Jejum como parte da sua vida

por Lissa Subirá

Leia: Mateus 4; Mateus 6.16-18; Ester 4.16

O jejum [abstinência de comida ou bebida] é um fator comum nas histórias bíblicas que mais marcaram a minha vida. Percorrendo os séculos, essa prática acompanhou, entre outros, uma jovem especialmente bonita que emergiu ao trono como rainha e preveniu a morte de incontáveis judeus. Fez parte também da narrativa do sobrevivente à cova dos leões, que marcou o cenário político de seus dias com uma sabedoria que ultrapassou a lógica humana. Além disso, esse hábito também estava presente na vida d'Aquele que abriu mão de Sua glória, esvaziando-Se, até tomar forma de servo. Ele, a resposta que a humanidade não merecia, com perdão em Seus olhos e justiça em Seus atos, teve o corpo rasgado para que nós fôssemos reintegradas. E, por Sua causa, essa prática também permeia o estilo de vida de milhares de pregadores, mães e jovens que curvam suas cabeças em reverência para orar.

Ester, Daniel e Jesus. Eles, eu e você. Com certeza, há algo excepcional aqui. Não é mera coincidência que, por meio de todos esses, vemos a privação intencional de alimentos como um clamor por direcionamento. Além disso, essa é uma expressão de arrependimento, intercessão e busca por milagres. E, acima de tudo, o jejum é uma expectativa de Jesus para nós, que amplia nossa perspectiva espiritual e natural, e traz transformações profundas e genuínas.

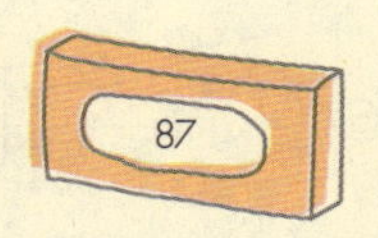

Ele não muda quem é Deus, mas transforma quem o pratica — assim como o cenário ao redor. De todas as afirmações que podemos fazer ao Senhor, imagino quantas comunicam algo tão significativo quanto: "Nada aos meus olhos é tão valioso quanto a proximidade com o Senhor, e nenhuma necessidade da minha carne supera o desejo que há em meu espírito de morar em Tua presença, perceber a Tua beleza e ver os Teus feitos na Terra".

Confesso que, muitas vezes, já testemunhei jejuns (só na água, viu, amigas?) de até quarenta dias de pessoas muito próximas, que, no início, assustavam-me, mas, com o tempo, passaram a me encorajar. Aos poucos, comecei a experimentar a ação em menores proporções, e garanto: na hora, é provável que não pareça algo tão sobrenatural, surpreendente ou até mesmo suportável. Porém, com a graça de Deus, torna-se tudo isso e muito, muito mais.

E aí, você está pronta para ir mais fundo?

Anotações

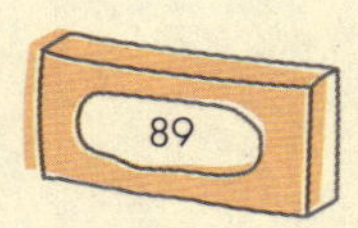

Desafio

Acho que você já sabe o que eu estou prestes a propor aqui. Tire o dia de hoje para jejuar. Entendo que algumas condições de saúde não são ideais para isso, então, seja primeiramente movida pela sabedoria e a liderança do Espírito Santo. Passar um tempo sem certas distrações para focar em Deus nunca machucou ninguém. Ah, e uma dica! De preferência, beba muita água e converse com alguém experiente, sem medo do desafio. Vai ser lindo! Valendo...

DIA 16

Autonomia e responsabilidade na vida espiritual

por Lívia Bember

Leia: 1 Tessalonicenses 1.7; 1 Coríntios 11.1

Sabemos que Deus nos ama de forma incondicional, e que esse amor não aumenta ou diminui, certo? O problema é que essa verdade parece atrair a ideia de que não precisamos fazer mais nada, o que reforça um comportamento irresponsável, afinal: "Se eu sou amada independentemente de fazer algo errado ou certo, por que me preocupar?".

Esse pensamento, porém, deveria ser inverso. A consciência de sermos tão amadas deveria nos fazer constantes na leitura diária da Bíblia e na oração, resultando em um relacionamento com Deus de forma responsável e livre. Mas não é o que acontece na prática. Isso, porque provavelmente não assimilamos ainda que nosso amor por Ele e nossa diligência com esse relacionamento, na verdade, são respostas ao Seu amor (cf. 1 João 4.10). Por esse motivo, não há a menor necessidade de tentarmos nos provar merecedoras de Seu afeto.

Por outro lado, é importante lembrar que, apesar de nossa disciplina espiritual ser tão crucial, o Senhor não precisa de nada disso. Quem precisa somos nós. Deus, sem nós, continua sendo Deus, enquanto nós, sem Ele, não passamos de pó. Loucura, não é? Às vezes, até acreditamos [de forma inconsciente] que podemos surpreendê-lO com o nosso pecado ou mesmo com nossos bons atos, mas não podemos.

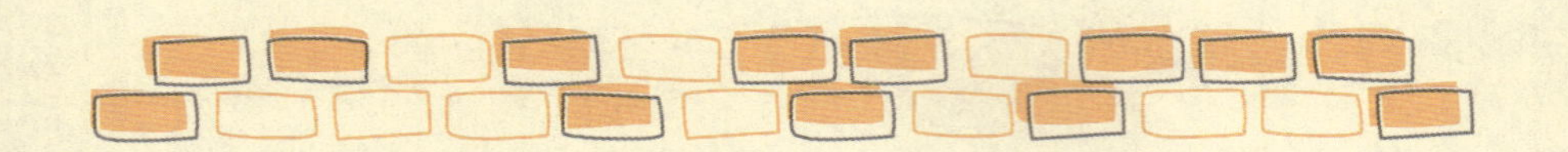

O povo da igreja de Tessalônica é um ótimo exemplo dos pontos que levantamos aqui. As Escrituras nos contam que, por serem amados por Deus, o Evangelho não chegou a eles somente em palavra, mas também em poder e em plena **convicção** (cf. 1 Tessalonicenses 1.4-5). Nós, diferentemente deles, temos a mentalidade de que precisamos sentir para nos movermos e sermos constantes quando, na realidade, o Espírito Santo é quem nos dá plena certeza para caminharmos com o Senhor com perseverança. E é essa certeza que nos oferece responsabilidade na vida espiritual. Portanto, você é fiel em seu Secreto porque sabe e reconhece que precisa d'Ele, independentemente de sua vontade — ou da falta dela.

O verso 6 de 1 Tessalonicenses 1 diz que, de fato, eles se tornaram imitadores de Paulo, Timóteo e Silvano, mas, principalmente, do Senhor. Os frutos gerados através da autonomia e da autorresponsabilidade na vida espiritual são impressionantes. No versículo oito, ele afirma:

> *Porque a partir de vocês a palavra do Senhor repercutiu não só na Macedônia e na Acaia, mas a fé que vocês têm em Deus repercutiu em todos os lugares, a ponto de não termos necessidade de dizer mais nada a respeito disso. (1 Tessalonicenses 1.8)*

Que coisa mais linda! A fé deles se tornou tão conhecida que a mensagem foi propagada em diversos lugares a partir de seu exemplo.

Anotações

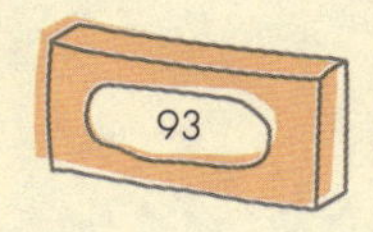

Desafio

Hoje, eu desafio você a tomar uma decisão racional (cf. Romanos 12.1): caminhar com Deus a partir da convicção do Seu amor e da responsabilidade que temos como cristãos. Neste ano, eu a desafio também a orar e ler a Bíblia todos os dias — apesar das suas vontades — e a permanecer no entendimento de que o que sustenta esse relacionamento é o amor d'Ele (cf. 1 João 4.10), que é genuíno, fiel, traz convicção, força, esperança e nunca nos abandona.

DIA 17

Persevere e seja constante

por Rapha Gonçalves

Leia: Salmos 27.14; Romanos 12.12

Já vi muita gente querendo a mesma vida com Deus que seus líderes e pastores têm. Eu mesma já olhei para pessoas que admiro e pensei: "Como eu queria viver isso também!". Tudo parece tão lindo e fácil quando vemos nossos heróis na fé se movendo a partir da experiência de intimidade com Deus! No entanto, esquecemos da dedicação constante de cada um deles. A verdade é que não serão todos os dias que vamos acordar com vontade de ler a Bíblia ou até mesmo de orar. Contudo, para ter uma vida espiritual saudável, não podemos depender dos nossos desejos. Um relacionamento verdadeiro com Deus não está pautado nos nossos sentimentos, mas, sim, em decisões diárias, independentemente da dificuldade.

Em 2 Tessalonicenses 3.5, Paulo nos diz que devemos aprender a constância de Cristo. Ele foi e sempre será nosso maior exemplo de estabilidade, paciência, lealdade, perseverança e firmeza. Mesmo enfrentando provações e sofrimento, não Se desviou nem por um minuto do Seu propósito. Ele sempre priorizou Seu tempo com o Pai, sabendo que aquilo era o que O sustentaria até a cruz.

Pensando em perseverança, eu também sempre me lembro da vida de Jó. Não deve ter sido nem um pouco fácil perder to-

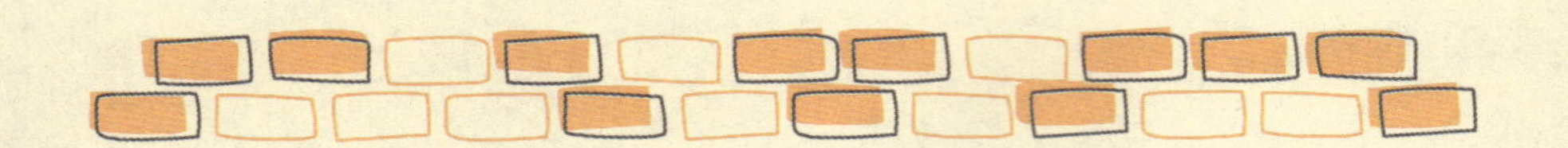

dos os seus filhos, sustento financeiro e saúde ao mesmo tempo. Ele não foi indiferente à dor e ao sofrimento [aliás, chegou a questionar algumas vezes o que estava acontecendo em sua vida], mas teve uma perseverança inabalável. Aquele homem não ficou esperando as coisas que ele tanto queria, caírem do céu, mas decidiu agir em direção à mudança. Mesmo rodeado por sentimentos terríveis, sensações destrutivas e amigos que não eram tão sábios, Jó manifestou firmeza e constância, e nunca deixou de adorar e esperar no Senhor, pois sabia que isso era a única coisa essencial em sua vida.

Muitas vezes, tentamos ser perseverantes pela nossa própria força e acabamos caindo na religiosidade, fazendo as coisas por obrigação e costume. Mas a verdadeira perseverança vem através da nossa entrega, o que, frequentemente, custa-nos tudo: tempo, relacionamentos, talento, conforto etc. Entretanto, através dessa atitude, somos cheios de fé e esperança (cf. Romanos 5.4); basta tomarmos uma decisão.

Decidir priorizar nosso tempo com Deus não é muito diferente de acordar todos os dias e ir trabalhar, estudar, malhar, porque sabemos que essas coisas nos farão bem no presente e futuro. Só que a diferença é que os benefícios de buscar ao Senhor constantemente não serão passageiros, mas, sim, desfrutados eternamente.

Anotações

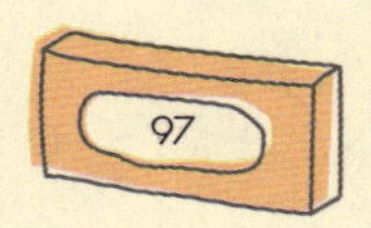

Desafio

Comece um plano de leitura diária da Bíblia que você consiga seguir e separe um momento de adoração racional por pelo menos 20 minutos todos os dias, adorando e agradecendo a Deus com sua mente e coração por coisas específicas (cf. Romanos 12.1). Por fim, peça ao Senhor, em suas orações diárias, por mais amor à Sua Palavra e presença.

DIA 18

Orações ousadas e perigosas

por Vitoria Dozzo

Leia: Salmos 6.9; Lucas 11.9

Conversando com as pessoas próximas de mim e passando tempo no Secreto com Deus, cheguei à conclusão de que eu não tenho dimensão de quem Ele é. Digo isso porque, muitas vezes, esqueço-me da magnitude d'Aquele com Quem estou falando: o Todo Poderoso, capaz de fazer o impossível e conhecedor de todas as coisas, passado, presente e futuro.

E você, quando ora, se lembra com Quem está falando? Nosso Deus é *Jeová-Shalom*, nossa paz; *Jeová-Nissi*, nossa bandeira; *Jeová-Jireh*, nosso provedor; e *Jeová-Shammah*, Aquele que está presente. O Senhor é a nossa justiça, nosso Pastor e Aquele que nos sara.[1] Os Seus nomes nos ensinam sobre a Sua identidade e, principalmente, que n'Ele encontramos absolutamente tudo aquilo de que precisamos.

Ao entendermos isso, finalmente nos sentimos confiantes para fazer orações ousadas, pois sabemos que não é sobre a nossa força, mas sobre quem Deus é. Jesus diz em Lucas 11.9 que podemos pedir, e nos será dado; podemos bater na porta, e ela será aberta, porque Deus é um bom Pai, que sabe cuidar de Seus filhos. Lemos em Mateus 19.26 que nada é impossível para o Senhor, e essa verdade é poderosa! Não há nada nos Céus e na Terra que Ele não possa fazer.

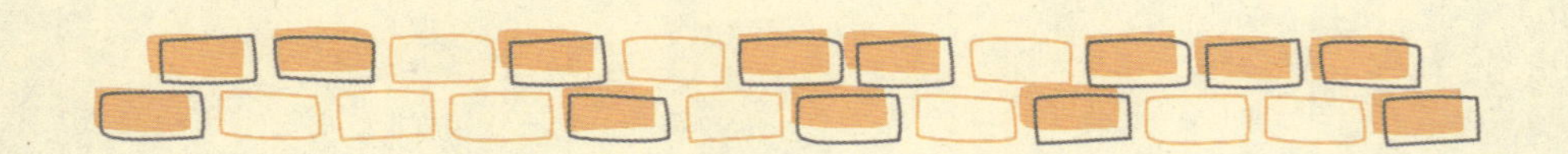

A grande questão, porém, é que, diversas vezes, não recebemos quando pedimos ou não vemos as coisas acontecerem porque não sabemos pedir (cf. Tiago 4.3). Isso significa que devemos curvar nosso coração diante do Senhor e buscar alinhar nossas vontades com a d'Ele. Se ela é boa, perfeita e agradável, como Sua Palavra diz (cf. Romanos 12.2), então não há como dar errado. Podemos gerar algo em oração quando submetemos nossos desejos a Ele e recebemos uma Palavra. Essa é uma forma de batalha com vitória certa, pois sabemos que Deus é Deus, que Ele cuida de nós e nos enche de paz. Então, quando isso acontece, passamos a entender que não é sobre conquistar o que clamamos em oração, mas sobre nos aproximarmos d'Ele.

Por um ano, orei incansavelmente por algo, pois havia recebido uma Palavra de Deus. Agarrei-me na certeza de que Ele é fiel e não mente e, nem por um minuto, desisti daquela promessa. E mesmo tendo enfrentado situações completamente improváveis nesse período, hoje, testemunho do poder de orações ousadas e perigosas. Portanto, confie naquilo que Deus disse a você e não deixe ninguém confundi-la, porque Ele é, e Ele faz!

---

[1] RYRIE, Charles. **A Bíblia anotada**: edição revisada e expandida. Barueri: Sociedade Bíblica do Brasil, 2007.

Anotações

Desafio

Eu desafio você, hoje, a fazer uma oração perigosa, sabendo que o Deus que a ouve pode fazer todas as coisas. Em Salmos 6.9, lemos sobre o Senhor ouvir nossa oração e respondê-la. Creia nisso! Agradeça pelo que está clamando, sem sequer ter previsão de quando acontecerá! Em seu tempo com Deus, foque em quem Ele é, não em você e suas incapacidades. Caminhar com Jesus é vivenciar um milagre após o outro, porque este é quem Ele é: cheio de bondade, graça e misericórdia!

DIA 19

Conquiste territórios espirituais

por Gabriela Gomes

Leia: Mateus 18.18; 1 Coríntios 12

Cristo nos redimiu com o Seu sangue, dando-nos autoridade para pisar na cabeça de cobras e escorpiões (cf. Lucas 10.19); nos ungiu e enviou para pregar as Boas-novas em Seu nome (cf. Isaías 61.1; Lucas 4.18). Isso acontece porque a obra da Cruz foi completa, permitindo-nos ser filhas maduras, Noiva redimida e Igreja gloriosa.

E uma das principais formas de nos posicionarmos de acordo com quem somos é através da oração. No entanto, quantas vezes oramos e sentimos que não seremos respondidas?! Isso, porque, como seres humanos, nossa mentalidade é limitada às circunstâncias. Contudo, a Palavra de Deus, iluminada pelo Espírito Santo, abre os nossos olhos para a realidade, e é nisso que devemos pautar a nossa vida. Além do mais, por meio dos ensinamentos bíblicos, aprendemos a viver de acordo com os princípios do Senhor, o que acaba habilitando o cumprimento das promessas divinas.

Logo quando me mudei para Portugal, diversas vezes, me senti muito angustiada. Por isso, na época, compartilhei tudo com a minha pastora, e ela orou por mim. Naquele momento, senti Jesus usando-a para falar comigo. Cristo foi muito claro ao dizer, por meio dela, que eu venceria as batalhas se orasse e an-

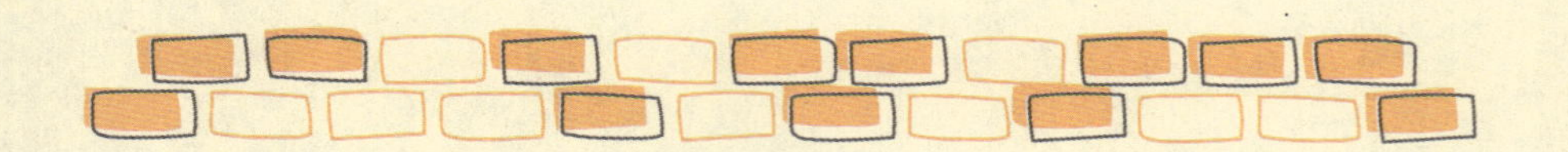

dasse na Sua Palavra. Aquilo me instigou a procurar passagens na Bíblia sobre paz e alegria e a declarar aquelas verdades sobre mim. Cri naquilo e, ao longo dos dias, meu coração foi invadido por uma brisa da glória de Deus. Assim, aprendi que uma das maneiras mais eficientes de vencer meus conflitos é a declaração das Escrituras. Jesus mesmo, ao ser conduzido pelo Espírito Santo ao deserto para ser tentado por Satanás, venceu ao tomar essa postura (cf. Lucas 4.1-13).

Portanto, devemos viver pela Bíblia, pois somos sustentadas por ela! Conquistamos os territórios espirituais quando entendemos e proferimos as verdades que a Palavra revela. Ao orarmos em conformidade com as Escrituras, essas verdades tornam-se mais palpáveis em nossas vidas. Não apenas isso, mas passamos a compreender melhor quem é Deus e estreitamos nossos laços com Ele.

A partir daí, não só temos nosso campo de visão espiritual ampliado como começamos a nos mover em ousadia. Desse momento em diante, nos aprofundamos no processo de santificação e, cabe a nós, com a ajuda do Espírito Santo, dar continuidade à missão específica que Ele nos deu, bem como a geral, cumprindo a comissão de Cristo citada em Mateus 28:

> *Toda a autoridade me foi dada no céu e na terra. Portanto, vão e façam discípulos de todas as nações, batizando-os em nome do Pai, do Filho e do Espírito Santo, ensinando-os a guardar todas as coisas que tenho ordenado a vocês. E eis que estou com vocês todos os dias até o fim dos tempos. (Mateus 28.18-20)*

Anotações

Desafio

Ao ler a Bíblia, não só leia, mas medite e declare, tendo em mente o que está escrito:

Se permanecerem em mim, e as minhas palavras permanecerem em vocês, pedirão o que quiserem, e lhes será feito.

(João 15.7)

DIA 20

A construção de um legado começa na oração

por Isabela Borges

Leia: Gênesis 17.1-8; Romanos 4.17

Há muito tempo, um homem temente ao Senhor recebeu uma promessa inesperada. Ele, sua esposa, servos e animais moravam em tendas, em uma época muito diferente da atual. Aquele homem de 99 anos não tinha filhos e sua esposa já não podia mais engravidar. Em um dia muito comum, com todos os afazeres, no cultivo, na administração dos servos e no cuidado dos animais, Deus apareceu para ele a fim de estabelecer uma aliança, e disse:

Quanto a mim, esta é a minha aliança com você: você será pai de muitas nações. (Gênesis 17.4)

Por mais que parecesse loucura dois idosos gerarem filhos tão numerosos quanto as estrelas do céu, ele creu. Essa é a história de Abraão e Sara. Contra a esperança, ele creu e viu o início da promessa se cumprir em seu filho Isaque. Através da fé, Abraão se tornou pai do povo de Israel e, hoje, a sua herança se estende a todos que creem em Jesus Cristo. A sua obediência nos deixou um legado eterno. Por sua confiança em Deus, ele acreditou que o Senhor era Aquele que poderia trazer à existência, coisas que ainda não existem. Deus chamou Abraão de "pai" quando ele ainda nem tinha filhos; e, mesmo sem ver

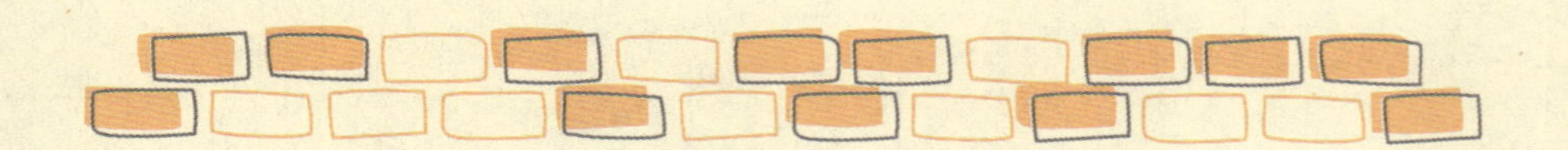

seus filhos e sua herança, ele decidiu confiar e caminhar segundo a promessa, pois já carregava essa paternidade em Deus. O que isso diz a nosso respeito?

Tantos anos depois, o Senhor continua nos chamando para uma caminhada de intimidade e obediência, constância em oração, perseverança em ouvir as Suas verdades e desfrutar da Sua presença e cuidado. Ele nos convida a crer e, em oração, construir nosso legado, mesmo que não vejamos ou que pareça loucura; temos de começar a andar como se já fôssemos aquilo que Ele nos desenhou para ser. Quando construímos esse lugar de intimidade, passamos a entender quem realmente somos e a enxergar que o Senhor nos olha como se Sua promessa já tivesse se concretizado. Talvez você pense: "Um dia, quando eu for curada, serei um exemplo para outras mulheres"; "Eu serei uma mãe excelente. Os meus filhos viverão em um ambiente saudável"; "Quando eu tiver recursos, serei missionária nas nações". Sim, é verdade que precisamos de tempo para amadurecer, precisamos de recursos internos e externos, mas saiba que Deus já lhe enxerga como uma mulher que cuidará de outras, que será uma esposa e mãe incrível, e uma missionária cheia de amor.

Nós temos escolhas: podemos rir e achar que nossas promessas e o legado que Deus tem para nós, estão distantes, ou, dia após dia, construir no nosso Secreto, em fé, para caminharmos como se já fôssemos. O que Deus tem falado ao seu coração? Qual é a chama que queima? A promessa parece estar distante? Por que não começar hoje a agir como se você já es-

tivesse lá? Às vezes, não terá a ver com a mudança para um lugar específico, mas com o posicionamento do seu coração. Se Deus tem lhe chamado para curar, caminhe como quem cura; se Ele a chama para influenciar, ande como uma mulher influente; se Ele chama você para criar, exerça a sua criatividade. No início, pode parecer forçado, causar medo e desconforto, mas caminhar com fé atrai a bênção dos Céus e faz com que sua obediência alcance muitas gerações. E, então, quem Deus a tem chamado para ser?

Anotações

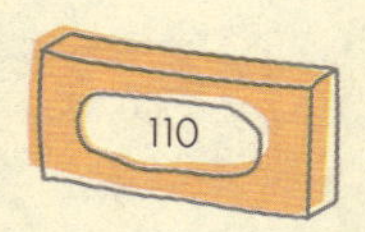

Desafio

Hoje é o dia de "Ser como se você já fosse"!

Escreva três características da mulher que Deus diz que você é, depois ore sobre elas, peça a Ele que lhe dê sabedoria para deixar um legado nesta Terra e depois use três situações do seu dia para exercitar essas características.

Exemplo:

Característica: ser confiante.

Situação: vou agir com confiança e conversarei com amigos sobre como podemos construir um projeto para alcançar uma comunidade vizinha da igreja.

PARTE III

Cultivando o caráter de Cristo

DIA 21

O que é o caráter de Cristo?

por Clara Mendes

Leia: Hebreus 1.3; Colossenses 1.15-20

Conhecer o caráter de Cristo é imprescindível para a fé cristã. Quando nos familiarizamos com quem Ele é, entendemos melhor aquilo que Deus fez, faz e ainda fará em nós. A importância de compreendermos o que Ele diz acerca de Si mesmo e o que os outros falavam a Seu respeito, assim como os escritores do Antigo e Novo Testamento apresentaram, ensina-nos sobre a revelação da Sua pessoa e suas implicações para o mundo. O Verbo Se fez carne e habitou entre nós. A imagem do Deus invisível foi literalmente revelada, e Seu caráter foi exposto na Terra de modo irrepreensível.

De fato, o impacto da vida de Jesus é inegável. Contudo, Ele levava uma vida livre de *glamour*. Não só isso, mas, ao cumprir Sua missão mais dolorosa, foi rejeitado e humilhado. Há um trecho de um poema que eu gosto muito, que diz:

> *Ele nasceu em uma vila obscura, filho de uma camponesa. Trabalhou em uma carpintaria até completar trinta anos. Em seguida, durante três anos, foi um pregador itinerante. Nunca escreveu um livro. Jamais teve um gabinete. Não constituiu família, nunca teve uma casa. Jamais frequentou a faculdade. Ele nunca viajou mais de 350 quilômetros do local de seu nascimento. Jamais fez algo que normalmente confere grandeza. Não tinha credenciais além de si mesmo. Ele só contava 33 anos quando a maior parte da opinião pública se lhe opôs. Seus amigos fugiram. Foi pregado numa cruz entre dois ladrões. Quando morreu, foi sepultado em um túmulo emprestado porque um amigo teve dó. Vinte séculos se passaram, e*

hoje ele permanece a figura central da raça humana. Estou bem certo quando digo que todos os exércitos que já marcharam, todos os reis que já reinaram – juntos – não afetaram tanto a vida do homem na Terra quanto essa única vida.[1]

Durante todo o tempo em que viveu como homem aqui na Terra, Ele teve Seu caráter forjado para cumprir Seu propósito. Da mesma forma, nós também precisamos atravessar esse processo. Para isso, é necessário que O conheçamos, e não há nada mais precioso que o conhecimento da Pessoa de Cristo. Quem O encontra, descobre o Caminho, a Verdade e a Vida. Corações foram arrebatados ao conhecê-lO, discípulos abandonaram tudo para segui-lO, vidas que haviam sido descartadas pela religião foram encontradas pelo Seu amor. Até hoje, Seu caráter nos fascina e, por Sua causa, somos restauradas e passamos a, gradualmente, viver aquilo que o Senhor deseja para nós.

O caráter de Cristo revela a vontade de Deus para o homem nos mostrando um pouco da eternidade (cf. João 17.3), do Seu Reino e, obviamente, de quem Ele é. Somos desafiadas a caminhar contra o nosso egoísmo, orgulho e vaidade. Assim, quanto mais nos aproximamos, mais semelhantes a Ele nos tornamos. Todas as coisas são como perda diante da grandeza do conhecimento de Jesus (cf. Filipenses 3.7); portanto, mantenha os olhos fixos n'Ele (cf. Hebreus 12.2). Ele é o nosso exemplo perfeito. Não estamos vivendo sem direção ou referência. Graças ao Seu grande amor, temos um alvo! E nos próximos nove dias, nós aprenderemos mais a respeito de cada uma das características do Seu caráter.

---

[1] FRANCIS, James Allan. **One solitary life, the real Jesus and other sermons**. Filadélfia: Judson, 1926. Tradução livre.

Anotações

Desafio

Jesus Cristo é o centro de todas as revelações divinas nas Escrituras. Por isso, eu desafio você a esquadrinhar o seu conhecimento a respeito de Cristo. Procure-O desde Gênesis a Apocalipse, pois, de algum modo, você O encontrará ali. Ao meditar nos textos bíblicos, pergunte-se: "O que esse texto me ensina sobre Jesus e a salvação?".

DIA 22

DNA do amor

por Esther Marcos

Leia: 1 João 4.7-8

Assim que nascemos, geralmente, um dos assuntos que ganha destaque entre os parentes, é: com quem ele(a) se parece. Instantaneamente, as pessoas se dividem em dois grupos: "É a cara da mãe" ou "É a cara do pai", e, ao crescer, isso não costuma mudar muito.

Até hoje escuto: "Nossa, você é a cara da sua mãe, mas tem o jeito todinho do seu pai". Ou seja, através dos meus traços físicos e personalidade, aqueles que convivem comigo, conseguem perceber por quem fui gerada e criada: pelos meus pais.

Além da aparência e jeito, conseguimos saber quem eles são por meio do nosso DNA, que transmite as características hereditárias. Então, em geral, somos analisados pelos nossos traços, bem como pelo nosso DNA (precisamente), para saber de quem viemos.

E se carregamos essas características de nossos pais terrenos, com toda a certeza também temos o DNA do nosso Criador e Pai Celestial, não é mesmo? Se hoje analisassem os seus traços físicos, sei que veriam o seu Criador, afinal você foi feita à Sua imagem e semelhança (cf. Gênesis 1.26-27). Contudo, será que através das suas ações, jeito e costumes as pessoas veriam quem a criou?

Assim como muitos olham para mim e veem os meus pais, é necessário que se lembrem principalmente de Deus, mas qual seria o Seu DNA em mim? Ou, até mesmo, qual seria a atitude que faria com que todos O percebessem em mim? A primeira resposta precisa ser o amor. Como diz o versículo de hoje "[...] todo aquele que ama é nascido de Deus e conhece a Deus" (1 João 4.7), e o que ele nos revela é que a maior prova que o Senhor está na vida de alguém é quando o amor é manifestado. Não o amor corruptível, egoísta e banalizado que o mundo prega, mas, sim, aquele que vem Deus (cf. Efésios 6.24).

Amar não é fácil, principalmente quando se trata daqueles que nos perseguem ou maltratam. Mas, se essa é a essência do seu Criador, você, sendo criação, possui essa marca em seu interior. Através desse Amor que vem d'Ele, as pessoas reconhecerão de quem você veio, e serão transformadas por isso.

O Sol não brilha sobre nós porque somos merecedoras da sua luz, mas, porque a sua natureza é iluminar. Da mesma forma, não ame com base em quem merece ou não, porque, se você pensar bem, também não é merecedora; ame porque o seu Criador é amor e essa é a Sua natureza (cf. João 3.16).

Anotações

Desafio

Em meio à correria, são raros os momentos em que paramos para admirar e reconhecer a presença daqueles que estão ao nosso redor, que dirá demonstrar o amor de Deus a eles. Por isso, eu a desafio a expressar esse amor através de palavras. Será que você já disse um "eu amo você" hoje? Será que já disse um "Deus ama você" hoje? Se não, coloque isso em prática agora. Ame também com suas ações: sirva aqueles que estão à sua volta, oferecendo um copo de água, um abraço apertado ao acordar ou até mesmo comprando um chocolate para alguém.

DIA 23

Humildade

por Fernanda Amandio

Leia: Mateus 5.3-5

Jesus nos ensina, no Sermão do Monte, os princípios do Reino. Em Seus preciosos ensinamentos, Cristo nos evidencia, com bastante clareza, como devemos caminhar, revelando o Seu coração e o Seu caráter.

Somos chamadas a viver de forma piedosa à estatura do Filho do Homem, e tudo o que Jesus nos revela é exatamente o que precisamos para seguirmos o Seu exemplo. Ele nos convida para experimentar a realidade de Mateus 5.48: "Assim sendo, sede vós perfeitos como é perfeito o vosso Pai que está nos céus" (KJA). O que vemos nesse capítulo são passos que nos levam a refletir o caráter de Cristo Jesus.

O interessante é que é possível ver o quanto esses versículos que estamos lendo hoje [assim como toda a Bíblia, do começo ao fim] são plenamente intencionais, inclusive na ordem em que estão dispostos. A única forma de viver o versículo quatro é compreendendo o três; isso vale também para o cinco, e assim sucessivamente. Aqui, Cristo nos ensina o passo a passo do caminho de humildade e pobreza de espírito que Seus discípulos teriam de trilhar. No versículo três, Ele nos apresenta o fundamento de tudo que está sendo dito: pobreza de espírito é a chave fundamental para vivermos em humildade; essas duas coisas estão interligadas.

A pobreza de espírito é o entendimento que verdadeiramente nos torna humildes, assim como o Filho; e quem vive dessa forma está em constante processo de arrependimento. Em Filipenses 2, Paulo descreve que o próprio Cristo "esvaziou-Se" e "humilhou-Se a Si mesmo" (cf. vs. 7-8). Ou seja, não é apenas sobre ter uma boa conduta, mas uma postura que revela se reconhecemos nossa desesperada necessidade do toque de Deus.

A verdade é que, para alcançarmos um coração verdadeiramente humilde, devemos, todos os dias, reconhecer nossa condição de total dependência do Senhor para conseguirmos viver e andar como Jesus. Tudo isso está conectado à poderosa verdade de que hoje não precisamos de Cristo menos que ontem. Muito pelo contrário, necessitamos do Senhor ainda mais. Sabemos, em nosso coração, que a humildade não é um estágio que se alcança em um dado momento e para sempre será preservado, mas sim uma caminhada diária! Trata-se de, em cada passo da sua jornada, reconhecer: "Senhor, eu preciso de Ti hoje. E quando um novo dia amanhecer, eu ainda precisarei de Ti!".

Anotações

Desafio

Agora que entendemos esses segredos para a nossa caminhada, aqui vai um desafio para você! Pegue sua Bíblia agora, leia Mateus 5.3-5 e declare: "Senhor, hoje preciso de Ti mais do que ontem! Por favor, toque-me e jamais serei a mesma pessoa; faz-me reconhecer o quanto necessito desesperadamente do Teu toque e da Tua transformação. Tenho fome do Senhor a cada nova aurora e meu coração precisa de Ti neste dia". Faça essa oração todas as manhãs, assim que acordar. Posicione-se nesse lugar assim que abrir os olhos. Lembre-se: existe poder em nossa perseverança! Pode acreditar que esse simples ato, diariamente, levará você a aprofundar sua aliança com Deus.

DIA 24
Mansidão

por Julia Vitoria

Leia: Mateus 11.28-29; Gálatas 5.19-22

O que significa "mansidão"? Nós associamos esse termo a uma pessoa de boa educação, que não fala alto e sorri para todos. Mas, vai muito além disso. Quando olhamos para o caráter de Cristo, entendemos seu verdadeiro significado. Antes de nos aprofundarmos nessa questão, quero relatar aqui o que essa palavra quer dizer de acordo com o dicionário:

- doçura de gênio ou na maneira de comunicar-se; meiguice, suavidade;
- ausência de pressa ou de ferocidade; tranquilidade, brandura.[1]

Vemos que carregar em nós a característica da mansidão significa ser alguém que se expressa com tranquilidade, sem inquietação. E quem melhor do que Jesus para nos ensinar como agir dessa maneira? Em várias passagens bíblicas, são relatadas situações em que Ele Se posicionou e agiu de uma forma mansa e sábia em cada decisão, milagre e em cada palavra que declarou. Não agia com pressa nem andava inquieto, mas conforme o Espírito O guiava. Isso, porque Ele transbordava do fruto do Espírito Santo por onde passava e tinha autoridade e poder do Alto. Assim, não permitia que Suas emoções O guiassem, mui-

to menos definissem Seu comportamento. Em todo tempo, Ele fazia aquilo que agradava o coração do Pai.

Contudo, isso não termina em Jesus. Ele espera que façamos o mesmo, sendo Seus imitadores. Em Mateus 11.28, Ele nos convida a descansar n'Ele, pois afirma que nos aliviará de nosso jugo. Não só isso, mas também diz:

> *Tomem sobre vocês o meu jugo e aprendam de mim, porque sou manso e humilde de coração [...] (Mateus 11.29)*

Aqui, o Senhor nos ensina que, muitas vezes, quando levamos nosso próprio fardo, ele nos sobrecarrega. Não podemos permitir que o peso de sonhos frustrados, de um coração ferido, pensamentos negativos e do passado contamine nossas ações, tornando-nos amargas, pois isso nos impede de sermos pessoas mansas, que refletem Jesus. No entanto, Cristo nos convida a aprender com Ele, pois Ele é manso e humilde de coração. Independentemente de qualquer coisa, fomos chamadas para espelhar o Seu caráter. E quando descansamos n'Ele e tomamos o Seu jugo, a vida fica bem mais leve e doce. Assim, partindo disso, começamos a transbordar do fruto do Espírito, que é:

> *[...] amor, alegria, paz, longanimidade, benignidade, bondade, fidelidade, mansidão, domínio próprio [...] (Gálatas 5.22-23)*

---

[1] MANSIDÃO. *In*: DICIONÁRIO Michaelis *on-line*. São Paulo: Melhoramentos, 2021. Disponível em *https://michaelis.uol.com.br/busca?id=kLokY*. Acesso em março de 2021.

Anotações

Desafio

Permita que, em todo momento, o Espírito Santo brilhe através da sua vida. Seja no trânsito, quando alguém buzinar para você; no instante em que uma pessoa a maltratar; ou se algo não lhe agradar, lembre-se de que Jesus é manso e humilde de coração, e Ele nos ensina a ser assim também. Deixe que o Espírito guie você em tudo! Quero desafiá-la a lembrar de algum momento em que você reagiu sem pensar, e acabou não refletindo o caráter de Jesus. Anote o que você poderia ter feito e como poderia ter aplicado a mansidão.

DIA 25

Retidão

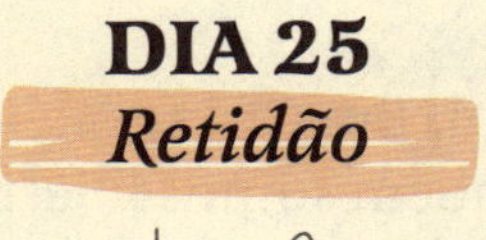

Leia: 1 Coríntios 10.13; Tiago 4.7; Hebreus 10.26; Mateus 5.8

Se o mal que há no mundo já lhe entristeceu pelo menos uma vez ao assistir o noticiário, receber uma ligação ruim ou presenciar algo que você preferiria nunca ter vivido, já pode concordar comigo: há, dentro de nós, um grito por retidão, um desejo real de que tudo ocupe seu devido lugar no Universo e de que você e eu também nos encaixemos nessa disposição perfeita de alguma maneira.

Palavras como "justiça" e "ética" precisaram ser inventadas para que um sentimento comum à humanidade se tornasse pronunciável. O senso de moral em nós é como uma impressão digital de Deus em Sua Criação, mas, por séculos, desde a queda de Adão e Eva, não o conhecemos em seu formato original. Mesmo nos esforçando ao máximo, nós o encontramos apenas em fragmentos ao longo do caminho.

Contudo, Deus, sabendo que não podíamos enxergá-lO plenamente, enviou-nos a Justiça completa, em carne e osso. Assim, era inevitável que nossas falhas viessem à tona. Por meio da comparação, Sua vida reta evidenciou nossa necessidade de alinhamento. Jesus enfrentou a condenação que não merecia para que eu e você recebêssemos o perdão — que também não merecíamos.

E não para por aqui. Em Cristo, além de livres da condenação do pecado, nós também somos libertas do poder do pecado, que um dia nos escravizou. Isso, porque, à medida em que nos relacionamos com o Espírito Santo, o Evangelho nos dá autoridade sobre aquilo que antes nos dominava. Os desejos do nosso espírito crescem e vencem a nossa carne e, um dia, até mesmo essa batalha interna terá seu fim, quando, inclusive, seremos livres da presença do pecado no mundo.

Até lá, confessamos nossos erros (quando caímos) e somos renovadas, dia após dia, na verdade de quem somos: criaturas completamente diferentes, e não apenas uma versão meramente "melhorada" de quem éramos. Nosso grito por retidão foi respondido com redenção [graças a Deus!], perdão, poder e a certeza de que Aquele que começou a boa obra em nós é fiel para completá-la.

Anotações

Desafio

Caso você ainda não tenha feito isso, procure alguém de confiança em sua igreja e confesse seus pecados. Não tente ser movida por coragem, e, sim, por obediência, que é sempre recompensada por Deus.

DIA 26

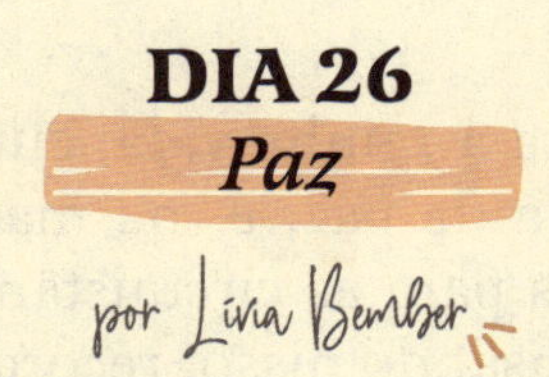

Leia: Mateus 14.22-36; Romanos 8.6

Você já percebeu o quanto fundamentamos a paz nas circunstâncias externas?

Essa questão me lembra que, enquanto estava no processo de organizar o meu casamento, diversas vezes, deparei-me com a falta de paz. Quando escolhemos a data e fechamos o lugar, ainda não tínhamos ideia do que viria e, em nossa mente, a COVID-19 era algo distante e passageiro. Um mês depois, tudo fechou e estávamos todos isolados em casa, com muito medo. E, até hoje, depois de tanto tempo, ainda estamos vivendo essa fase.

Por diversas vezes, pensei que seria impossível nos casarmos como sempre sonhamos; inclusive, meses antes do casamento, inúmeras vozes nos diziam para desistirmos. O Neto (meu marido) sempre me trazia a consciência de que eu não deveria me mover pelo que estava vendo e, sim, pelo que não via, como está escrito em Hebreus:

> *Ora, a fé é a certeza de coisas que se esperam, a convicção de fatos que não se veem. (Hebreus 11.1)*

Então, nós nos posicionamos e decidimos ir até o fim com a data que tínhamos no coração: 3 de outubro. E não é que deu tudo certo?!

Quando olho para a minha vida, eu me pego, muitas vezes, afogada pela falta de paz, e, na maioria delas, é porque estou olhando demais para as circunstâncias externas em vez de focar em Deus. Pensando nisso, recordo a história de Pedro andando sobre as águas. Quando ele fixou seus olhos em Jesus, conseguiu permanecer, mas quando sua mente se voltou para o medo, ele paralisou e afundou. O que essa passagem nos mostra é que, claramente, o nosso foco só pode estar em uma coisa: Jesus ou o medo. Se olharmos para o medo, Cristo ficará "embaçado" e afundaremos. Se focarmos n'Ele, que é a fonte da paz que excede todo entendimento, o medo perderá destaque e poder.

Você já percebeu que, na Bíblia, o oposto da paz de Deus é aquela que vem do mundo? Em João 14.27, Jesus disse: "Deixo com vocês a paz, a minha paz lhes dou; não lhes dou a paz como o mundo a dá [...]". Nesse verso, isso fica evidente. Acredito que "mundo", nesse versículo, significa o lugar em que habitamos hoje, nossa sociedade, relacionamentos terrenos e o que está ao nosso redor. Ao contrário de tudo o que está à nossa volta, a paz de Deus excede todo entendimento; não é algo que sempre conseguimos assimilar, mas está sempre disponível e supera todas as circunstâncias. Ela é vivida e sentida nas dificuldades, e está acessível, por meio do Espírito Santo, a todos que O escolhem como Senhor e Salvador. Acredite em mim, é do anseio de Deus que você sinta essa paz que permanece além das circunstâncias e dos medos.

Anotações

Desafio

Quando você entra na tempestade sozinha, a tendência é que se apavore e não consiga dar nenhum passo, mas, quando está de mãos dadas com Deus, você confia que Ele irá levá-la ao lugar certo. Hoje, eu desafio você a buscar essa paz, compreendendo que ela está disponível. Entre no seu Secreto, pegue um papel [ou até mesmo seu bloco de notas no celular] e escreva, em tópicos, tudo aquilo que tem roubado a sua paz. Ore e entregue, pedindo a Deus que a encha da Sua paz, que excede qualquer compreensão. Tenho convicção de que Aquele que começou a boa obra em sua vida é fiel para cumprir (cf. Filipenses 1.6). Até que tenhamos paz com Deus, nunca experimentaremos ter paz de verdade aqui na Terra. Então, que nos aprofundemos nessa busca pela paz que vem do Céu.

DIA 27

Justiça

por Rapha Gonçalves

Leia: Efésios 6.14; Isaías 61.8

De tanto ouvir a palavra "justiça" no sentido de juízo, punição e castigo de Deus, pensamos que essa é a única definição de algo tão poderoso e abrangente. Na verdade, ao tratar desse assunto, a Bíblia, especialmente no Novo Testamento, refere-se ao próprio Senhor Jesus Cristo como sendo a fonte da justiça, oferecida gratuitamente por Deus para justificar nossos pecados (cf. Romanos 5.17). A partir disso, entender seu real significado nos traz clareza e liberdade, pois ela nos mostra a essência de um Pai bom e fiel, que sempre cumpre os compromissos de aliança com Seus filhos. Ele Se revela justo ao manifestar Sua misericórdia e perdão, cumprindo também as Suas promessas.

Particularmente, sempre tive um senso de justiça muito grande dentro de mim, mas, muitas vezes, não soube usá-lo da melhor forma. Achava que deveria castigar as pessoas à minha volta ou a mim mesma quando fazia algo errado. Na maioria das vezes, elas estavam mesmo erradas — e eu também. Contudo, aprendi que ter o caráter de Cristo nesse sentido requer muita humildade. Não buscamos agir pela nossa própria força, pois entendemos que ela vem de Deus.

Nós somos falhas, parciais e mesquinhas. Em nossa concepção humana, o outro merece sempre ser punido e receber

um castigo por seus erros. Mas para o Senhor não é assim que funciona. Ele reprova e condena a injustiça, porque ela causa destruição e morte, comprometendo também o nosso relacionamento com Ele e com as pessoas ao redor. Por isso, é fundamental confiarmos em Deus, conscientes de que Ele é justo e que devemos viver a Sua justiça sempre, ainda que ela não se pareça com o que imaginamos.

Diante disso, é importante lembrar que a justiça é parte da natureza divina, e não apenas algo que Ele pratica. Isso significa que a justiça verdadeira é obtida por meio da fé em Jesus Cristo, dada a nós, a fim de sermos considerados justos aos Seus olhos (cf. Romanos 4), e é implantada em nosso interior pelo Espírito Santo (cf. Romanos 3.21), resultando em perdão e restauração. Se hoje você sente que não é merecedora da misericórdia e amor de Deus, saiba que Jesus Cristo assumiu o nosso lugar e sofreu a punição pelas nossas injustiças e pecados para que, assim, você e eu pudéssemos viver tudo isso com liberdade n'Ele.

Anotações

Desafio

Em primeiro lugar, analise e liste áreas em que você precisa da justiça de Deus e compartilhe com alguém. Em seguida, toda vez que tiver um pensamento que não esteja de acordo com a Sua justiça (por exemplo: não se achar boa o suficiente), pare por alguns minutos e se alinhe com o que Palavra diz a esse respeito. Além disso, durante o seu dia, desafie-se a pregar o Evangelho a, pelo menos, três pessoas; não se esqueça de manifestar o amor de Deus por elas.

DIA 28
Pureza

por Vitoria Dozzo

Leia: Mateus 5.8

Não nasci em um lar cristão. Minha caminhada com Deus começou quando, aos trancos e barrancos, passei a frequentar a igreja, aos 19 anos. Mas foi só com 21 que tive um verdadeiro encontro com Jesus. Vivi muita coisa antes de conhecer a Cristo e decidir andar com Ele. Por esse motivo, a palavra "pureza" era completamente sem significado para mim. Foi depois de uma oração de libertação na área da sexualidade que senti o Espírito Santo me conduzir por esse caminho e me aprofundar no entendimento da pureza de Cristo — e como devemos buscá-la.

Eu cresci sem conhecer a Palavra, mas sei que muitas meninas que passaram a vida toda na igreja também sentem dificuldade ao abordar esse assunto. Vejo as temáticas sexuais serem tratadas como tabu nas igrejas, e isso, infelizmente [e erroneamente], faz com que nós, jovens, busquemos compreender sobre o tema em outros lugares. Esse foi meu erro, e acredito que não sou a única. Precisamos falar mais a respeito disso.

Minha jornada em busca da pureza se intensificou num dia em que fui extremamente acusada por Satanás com lembranças e memórias, e me deixei levar por mentiras sobre o sacrifício na cruz. Porém, durante o banho, enquanto tudo aquilo pesava sobre mim, eu me dominava e parecia me sentenciar.

De repente, vi a água do chuveiro se transformando em sangue; naquele instante, ouvi Jesus me dizer: "Meu sangue a lavou! Todas as coisas são novas; você é minha! Você é lavada por mim!". Naquele momento, vivi um romper no espírito, e decidi lutar todos os dias pela pureza, além de falar sobre isso com outras meninas.

A Palavra nos diz:

Bem-aventurados os puros de coração, pois verão a Deus. (Mateus 5.8 - NVI)

Essa verdade reveladora e transformadora do Evangelho nos garante a mais importante certeza: somos libertas do pecado, e o fruto que colhemos leva à santidade (cf. Romanos 6.22). Não precisamos pensar que venceremos com as nossas forças, porque Cristo Jesus já fez isso por nós e nos guarda, cuida, incentiva e acompanha na caminhada! Pureza envolve um coração reto diante de Deus, que protege os olhos, as mãos, a boca e a mente de tudo que não seja honesto, justo, amável, de boa fama e puro. Precisamos direcionar nossos pensamentos a tudo que tenha virtude e louvor (cf. Filipenses 4.8).

O mundo lá fora grita lascívia, fornicação, impureza e inúmeras mentiras sobre sexo. Sexo foi feito para ser santo, dentro do casamento. Na hora certa, ele reflete a santidade de Deus. Sim! Sexo e santidade! As mentiras ditas pelo mundo sobre algo belo assim são tão gigantescas que nem acreditamos mais que ele possa ser puro. Mas pode; no lugar e no tempo certo!

E a pureza não diz respeito apenas ao sexo, mas a tudo o que pensamos e fazemos em nossa vida. Oro para que você tenha essa revelação e sinta seu coração ser transformado por essa verdade.

Não existe nada no seu passado que a impeça de provar da pureza, andando em santidade. Não há nenhum pecado que a cruz não seja suficiente para redimir. Jesus fez [e continua a fazer] isso comigo há anos, e Ele quer o mesmo com você. Precisamos clamar ao Espírito Santo para experimentarmos uma transformação em nossa mente, e para que todos os pensamentos, instintos e vontades que foram despertados antes da hora sejam afastados. Não deixe o Inimigo levantar mentiras sobre sua identidade. Não importa o que você tenha feito: Jesus é suficiente para mudar a sua história e guardar sua mente e seu coração.

Anotações

Desafio

Eu a desafio, hoje, a quebrar tudo o que a afasta da pureza. Peça a direção de Deus e delete aplicativos, bloqueie aquele garoto que distancia você de viver esse estilo de vida com Deus. Antes de dormir, não fique mais sozinha, no escuro, com o celular por perto. Abandone determinadas séries e filmes, e, se necessário, procure mudar as músicas que você escuta. Tome uma decisão radical pela pureza, e você verá os frutos. Ore agora; convide o Espírito Santo para transformá-la, pedindo ao Senhor Jesus para dizer as Suas verdades a seu respeito. Deixe que Ele trabalhe, rompa com o seu passado; e quanto a você, olhe, com um enorme sorriso, a beleza do que Deus tem para o seu futuro.

DIA 29
Verdade

por Gabriela Gomes

Leia: João 14.6; Tiago 1.18

Você sabe o poder que há na verdade? A Bíblia diz que quem a conhece recebe libertação e discernimento. Jesus é a própria verdade, e Ele nos convida a construir nossas vidas nesse fundamento.

Ela não é só uma virtude, mas a essência da Palavra de Deus, de quem Ele é e do que Ele nos chama para viver! É como uma luz que brilha na escuridão; traz à realidade aquilo que estava escondido e abre os nossos olhos e o nosso coração.

Isso me lembra de uma vez em que tirei o dia para fazer uma faxina aqui em casa. Aparentemente, ela não estava tão suja ou empoeirada, mas, conforme fui limpando e levantando os tapetes, toda aquela sujeira escondida começou a surgir. Então, o Senhor ministrou ao meu coração que nós somos morada do Espírito Santo, e a Sua Palavra é luz e verdade. À medida que conhecemos essa verdade e permitimos que ela ilumine os lugares escuros da nossa vida, somos purificadas e libertas.

Antes de escrever este texto, eu estava orando, e o Senhor me lembrou daquele dia. Vi uma casa bonita, arrumada e aparentemente limpa, mas com sujeiras escondidas, e senti Deus me dizendo: "Quem vê, até pensa que essa casa está verdadeiramente limpa, mas Eu conheço o íntimo e o oculto". Não há

nada que esteja escondido diante do Deus justo e santo! Ele conhece a verdade do nosso coração. Quando tive essa revelação, pedi a Jesus que fizesse uma faxina em mim. Não quero apenas parecer "arrumada", mas ter a essência comprometida. Quero ser, de fato, limpa e purificada.

Diariamente, somos bombardeadas por ideologias, palavras e até situações que acumulam poeira em nosso coração; pensamentos e sentimentos que não são reais e crenças que só a Palavra de Deus pode combater. A Bíblia nos mostra que a verdade faz parte da nossa armadura; ela é um cinturão que sustenta o nosso corpo e cinge os nossos lombos (cf. Efésios 6.14). Sem a verdade, ficamos vulneráveis, presas, e nos tornamos reféns de fábulas e mentiras que o Inimigo tenta usar para nos manipular.

Minha oração hoje é que o Senhor abra os nossos olhos e ouvidos para as Suas palavras. Ei, querida leitora, o que Deus diz a seu respeito é a sua realidade! Mentiras não podem roubar um coração que já foi comprado por Cristo. Somos Suas e vivemos por Ele! Ele é a nossa fonte e a nossa rocha inabalável. Uma casa com fundamento não poderá ser abalada, assim como uma vida construída em Cristo, que é a verdade, é fortificada! Por isso, pedimos que Ele nos sonde, como o salmista ora:

> *Sonda-me, ó Deus, e conhece o meu coração, prova-me e conhece os meus pensamentos; vê se há em mim algum caminho mau e guia-me pelo caminho eterno. (Salmos 139.23-24)*

Anotações

Desafio

Peça a Jesus que faça uma faxina no seu coração e traga à luz aquilo que você não consegue ver. Faça isso e acredite: os seus olhos serão abertos!

DIA 30

Espelho, espelho meu...

por Isabela Borges

Leia: 2 Coríntios 3.17-18

"Espelho, espelho meu, existe alguém tão incrível quanto eu?". Não há como ouvir essa frase e não nos lembrarmos do conto de fadas em que a bruxa má conversa com o espelho e pergunta se existia uma moça mais bonita no reino do que ela. Será que havia alguém melhor, mais simpático, que estivesse no nível daquela mulher para que ela pudesse se comparar?

Não somos a bruxa má, que manda um caçador ir atrás da coitada da Branca de Neve, mas quanto tempo passamos em frente ao espelho, comparando-nos, julgando-nos, sendo rudes e sem amor com o nosso próprio reflexo?

No início de tudo, Deus criou o homem e a mulher à Sua imagem e semelhança, mas, com o pecado, nós nos afastamos d'Ele e do caráter que havia proposto para nós. Fomos criadas para o relacionamento íntimo com o Senhor, para resplandecermos a Sua glória aqui na Terra, porém o pecado veio, a intimidade foi perdida, mas, então, Jesus Se tornou o caminho de volta ao Pai e o exemplo a ser seguido. Por isso, diariamente, nós O contemplamos e somos transformadas para sermos mais semelhantes a Ele.

Entendemos a importância de nos parecermos com Jesus, observamos tantas facetas do Seu caráter, e queremos ser

iguais a Ele em todas as áreas da nossa vida. Contudo, a transformação não acontece do dia para a noite, e, muitas vezes, acabamos nos sentindo frustradas e desanimadas, afinal temos muita pressa para que todos os nossos processos terminem.

Provavelmente, você se sentiu confrontada com os últimos devocionais: "Deus, eu preciso amar mais!"; "Deus, eu preciso ser mansa e humilde!"; "Senhor, eu já entendi! Mas por que eu ainda não sou como Você?". Porque vivemos de glória em glória! Todas as vezes em que buscamos Jesus e O encontramos, nossa natureza humana é confrontada e, de repente, somos chacoalhadas. Cria-se uma batalha épica entre a natureza do espírito e nossa carne, sempre acomodada e apegada ao pecado. No entanto, onde o Espírito de Deus está, existe liberdade e, aos poucos, somos libertas e limpas da nossa carnalidade. Essa é uma das coisas mais preciosas que acontecem no Lugar Secreto! Às vezes, será como uma explosão de mais de mil fogos de artifício, mas outros dias vai parecer mais com o acender de uma lâmpada.

O importante é que, todos os dias, busquemos a Jesus como se olhássemos para um espelho, e a imagem que enxergássemos fosse a de Cristo, limpo e perfeito. Entretanto, por mais que desejemos ser completamente transformadas em apenas um encontro, isso jamais seria possível, pois sempre acharemos o que mudar, até o dia em que morrermos. A mudança, por esse motivo, sempre acaba seguindo uma lógica gradual, em que os processos nos levam a viver o que 2 Coríntios 3.18 nos ensina: de glória em glória.

Portanto, sem reservas, contemple a Jesus e, a cada encontro, seja moldada à Sua imagem. Um passo de cada vez, e nos tornamos mais maduras, refletindo para o mundo Aquele que resplandece sobre nós. Nessa luta para ser como Ele, manifestando o reflexo de Seu caráter, não se conforme com aquilo que é difícil de transformar nem se acomode com aquele pecado que você ainda não conseguiu vencer. Você está sendo transformada um dia de cada vez, no Secreto e, constantemente, sua mente está sendo renovada e seu caráter, moldado.

Anotações

Desafio

Pegue um espelho. Pode ser aquele do banheiro ou um pequeno de maquiagem. Anote pelo menos cinco características do caráter de Cristo que você deseja ter e ainda não consegue completamente. Depois disso, com sua Bíblia, olhe no espelho e veja os detalhes visíveis do seu rosto, suas características, seu coração, e, pela fé, veja o caráter de Cristo em você. Provavelmente, enquanto você imagina, seu rosto não irá mudar, mas isso a lembrará de que, toda vez que você olhar para si mesma em seu Secreto, será como olhar seu rosto no espelho e enxergar algo novo. Crie esse hábito, seja ao escovar os dentes ou ao retocar a maquiagem, e sempre se pergunte: "Será que estou refletindo Jesus?".

PARTE IV

Resplandecendo a glória de Deus

DIA 31

O que significa glória?

por Clara Mendes

Leia: Salmos 72.19

A glória do Senhor não é algo que alguém possa entender completamente ou até mesmo controlar. Isso, porque ela faz parte da natureza de Deus, que é completo, infinito e eterno. O interessante é que essa glória também está refletida em toda a Sua Criação, como o salmista declara no seguinte verso:

> *Os céus proclamam a glória de Deus, e o firmamento anuncia as obras das suas mãos. (Salmos 19.1)*

Nessa passagem, o autor exalta a grandeza e a majestade do Senhor ao observá-la na natureza. Da mesma forma, somos inspiradas a adorá-lO ao perceber o toque de Sua glória em cada detalhe. A Palavra diz: "[...] toda a terra está cheia da sua glória" (Isaías 6.3), o que significa que tudo o que Deus faz e quem Ele é manifesta Sua essência gloriosa. Acerca disso, o autor Mark Jones escreveu em seu livro:

> *[...] Sua majestade, santidade, poder e conhecimento estão além de nossa compreensão. Longe de causar desespero, essa verdade deveria nos confortar. Não precisamos de um deus que podemos gerenciar, mas de alguém completamente acima da nossa capacidade de compreender.*[1]

Deus não só não pode ser totalmente compreendido, como também não pode ser completamente visto por nós, e um dos

motivos pelos quais isso se dá é a Sua glória. A Bíblia nos conta que Moisés descobriu que o Seu esplendor era muito maior do que ele poderia suportar. Homem nenhum pode ver a Sua face e viver (cf. Êxodo 33.20). Outro exemplo disso foi quando o apóstolo João caiu como morto aos Seus pés no instante em que O admirou (cf. Apocalipse 1.17), afinal como permanecer de pé diante d'Ele? Ainda assim, mesmo não sendo capazes de assimilar toda a Sua majestade, o Senhor revela vestígios da Sua glória a nós. Podemos contemplá-la ao nosso redor, na natureza, em nosso dia a dia e, também, por meio da pessoa de Jesus Cristo. Isso mostra que ela não está distante.

Em Cristo e para Ele foram criadas todas as coisas: "Ele é antes de todas as coisas. Nele tudo subsiste. Ele é a cabeça do corpo, que é a igreja. Ele é o princípio, o primogênito dentre os mortos, para ter a primazia em todas as coisas" (Colossenses 1.17-18). Que possamos sempre reconhecer Sua soberania e glorificá-lO em tudo, como Paulo declara em sua primeira carta a Timóteo:

> *Assim, ao Rei eterno, imortal, invisível, Deus único, honra e glória para todo o sempre. Amém! (1 Timóteo 1.17)*

---

[1] JONES, Mark. **Deus é**: um guia devocional sobre os atributos de Deus. Brasília: Monergismo, 2019, página 130.

Anotações

Desafio

Eu desafio você a transformar esse devocional em uma profunda adoração. Separe um tempo para exaltar, glorificar e cantar louvores ao Único que é digno, pois a adoração sujeita tudo que somos à Sua glória! Adore ao Pai, ao Filho e ao Espírito!

DIA 32
Ser santo

por Esther Marcos

Leia: 1 Pedro 1.15-16

Ser santo como Deus é santo. Eis a "dificuldade suprema" de um cristão. Porque, mesmo sem perceber, pecamos no falar, no olhar e até no pensar. É como se logo ao nascer já estivéssemos em um lamaçal de onde não fosse possível sair; e ele nos aprisiona. Você já sentiu como se, a cada vez que tentasse lutar contra um pecado, quanto mais se esforçava, mais presa parecia ficar? Então o seu coração se entristecia por saber que, de novo, você havia magoado o coração do Pai? (cf. 1 João 3.4).

A notícia boa é que Jesus Cristo morreu para que, hoje, você pudesse se arrepender, ter livre acesso ao Pai e ser liberta de qualquer pecado, com a ajuda de Deus e de pessoas tementes a Ele. Você tem a oportunidade de vencer qualquer tentação através de um relacionamento diário com o Senhor e, assim, viver em constante santificação.

Santificar-se é resultado do entendimento de quem você é (cf. João 1.12; 1 Pedro 2.9; 1 João 3.1-3), de onde veio e para onde vai (cf. João 15.19; 14.2-3). Conhecer o seu Criador (através da Palavra), caminhar com Ele e então refletir o Seu caráter santo é parte da nossa jornada cristã. Buscar a santidade é se separar das coisas do mundo para se alimentar e focar no que é celestial. Ela está presente no que ouvimos, falamos, olha-

mos, na forma como nos vestimos; em tudo devemos ser santos. Se você almejar isso, quantas coisas mudará no seu dia a dia? Deixe o Espírito Santo de Deus guiá-la nessa jornada de santificação, e persista.

Existe uma luta constante entre a carne e o espírito, e precisamos estar vigilantes em oração (cf. Mateus 26.41), mas, para que esse último prevaleça, a carne precisa ser domada o tempo inteiro. Vencerá quem você alimentar mais; a escolha é sua. Ao negligenciar o alimento para o seu espírito, você fortalecerá a sua carne, mas, ao fazer o contrário, conseguirá ouvir o Espírito Santo e trilhar um caminho reto perante Deus. Não que isso fará de você perfeita, no entanto, saiba que, mesmo ao errar, existe a possibilidade de um recomeço! E, a cada renúncia para alcançar a santidade, o caráter de Cristo crescerá em você.

Quer um conselho de amiga? Esteja com pessoas que buscam a santidade como se fosse a última gota de água no deserto. Assim, quando os seus pés tropeçarem, você terá mãos amigas auxiliando-a e buscando a Deus com você (cf. Provérbios 13.20; 1 Coríntios 15.33).

Estes dias, li uma frase que o pastor Josemar Bessa postou em sua rede social, e o Espírito Santo falou muito comigo: "O maior obstáculo para a minha santidade sou eu mesmo. É por isso que preciso pregar o Evangelho para mim diariamente". Para sermos santas, temos de estar atentas ao nosso caráter, deixando-nos ser moldadas pelo Pai e tomando atitudes que nos direcionem a isso.

Anotações

Desafio

Você tem o dever de pregar para si mesma todos os dias. Por isso, sua ação de hoje será: separar um tempo durante o seu Secreto com Deus e, ao ler a Palavra, colocar-se na frente de um espelho. Em seguida, pregue olhando para si mesma, assim como você provavelmente já fez com outras pessoas. O maior vilão para que você não alcance a santidade, muitas vezes, é você! Por isso, comece esse hábito hoje e pratique todos os dias.

DIA 33

Resplandecendo a glória de Deus

por Fernanda Amandio

Leia: Hebreus 10.19-25; João 5.19-37

Nosso maior propósito é conhecermos a Deus. Nisso precisa estar todo o nosso foco e esforço. Sendo assim, é necessário entendermos que, por meio do sacrifício de Cristo e nossa decisão de nos rendermos ao Senhor, temos acesso ao relacionamento íntimo com Ele. Consequentemente, se nos dedicarmos inteiramente a isso, escolheremos o melhor caminho, doando nosso coração de forma extravagante pelas causas eternas e vivendo para resplandecer a glória do Senhor!

Fazemos isso à medida que nos entregamos a Cristo e somos transformadas por Ele. Por isso, precisamos deixar de buscar nossos próprios interesses, a fim de que todos, ao nosso redor, sejam impactados e que, ao olhar para nós, entendam melhor quem Ele é. O próprio Jesus nos ensina em João 5.30: "[...] pois não procuro agradar a mim mesmo, mas àquele que me enviou" (NVI). A única maneira de vivermos essa realidade intencionalmente é olhando para Cristo, de forma que nós:

- **Não testemunhemos de nós mesmas:**

Se testifico acerca de mim mesmo, o meu testemunho não é válido. Há outro que testemunha em meu favor, e sei que seu testemunho a meu respeito é válido. (João 5.31-32 - NVI)

- **Sejamos sustentadas pela vontade de Deus:**

[...] A minha comida consiste em fazer a vontade daquele que me enviou e realizar a sua obra. (João 4.34)

- **Não busquemos nossos próprios interesses:**

[...] Em verdade, em verdade lhes digo que o Filho nada pode fazer por si mesmo, senão somente aquilo que vê o Pai fazer; porque tudo o que este fizer, o Filho também faz. (João 5.19)

- **Expressemos obediência voluntária:**

Por isso, o Pai me ama, porque eu dou a minha vida para recebê-la outra vez. Ninguém tira a minha vida; pelo contrário, eu espontaneamente a dou. Tenho autoridade para entregá-la e também para reavê-la. Este mandato recebi de meu Pai. (João 10.17-18)

- **Tenhamos uma devoção extravagante:**

Humilhou-se e foi obediente até a morte, e morte de cruz. (Filipenses 2.8 - NVT)

Entendemos que o nosso propósito é crescer em amor e devoção ao Senhor, que devemos entrar em ousadia no Santos dos Santos, apesar das nossas falhas, pois Cristo morreu para que nada nos separasse dessa realidade. Quanto mais O contemplamos, mais aprendemos com Seus passos como devemos viver para a glória de Deus, andando como Ele.

Anotações

Desafio

No seu momento devocional, coloque uma cadeira na sua frente e uma música de fundo. Pegue sua Bíblia, abra em Apocalipse 4 e, antes e ler, peça ao Espírito Santo que guie você em profundidade no conhecimento de quem é Deus. Agora, comece a leitura em voz alta e deixe que O Espírito direcione e dilate seu coração e entendimento sobre o Deus Santo assentado no trono! Mergulhe na verdade de que aí mesmo, no seu quarto, existe a dinâmica santa e profunda de Apocalipse 4, e que você tem livre acesso para contemplar e participar dessa comunhão.

DIA 34
Tirando o véu do rosto

por Julia Vitoria

Leia: 2 Coríntios 3.13-18

Você sonha em se casar um dia? Fazer aquela grande entrada, esperando pelo momento em que o noivo tirará o véu do seu rosto? Que espetacular! O curioso é que, assim como em uma cerimônia de casamento — em que o véu é retirado do rosto da noiva —, acontece conosco quando fazemos uma aliança com o Senhor. Antes de Cristo, vivíamos em escravidão, debaixo da nossa própria justificação, contando apenas com a Lei. E isso nos proporcionava um fardo pesado. Esse era o véu da Antiga Aliança.

Na Palavra do Senhor está escrito que ainda existe um véu, que é retirado somente em um encontro sincero com nosso noivo, Cristo Jesus (cf. 2 Coríntios 3.16). Isso, porque, quando O aceitamos como nosso Senhor e Salvador, Ele nos liberta e nos enche da esperança da glória! No momento em que o véu é tirado, ganhamos acesso à glória do Senhor e, assim, somos transformadas por ela. O Senhor deseja isso para todas nós.

Em Êxodo, vemos relatos de que, quando Moisés descia do Monte Sinai depois de falar com o Senhor, cobria sua face com um véu, para que os filhos de Israel não vissem quando a glória de Deus estava desvanecendo de seu rosto, já que ela só permanecia com ele por um tempo. Mas nós não vivemos nessa

época, estamos alicerçadas na Nova Aliança, e temos acesso a essa glória de forma permanente. Portanto, devemos retirar o véu a fim de resplandecer a glória de Deus a todos à nossa volta.

Quando o Senhor olha para nós, vê o sacrifício do Seu filho Jesus: o sangue do Cordeiro que nos lava e justifica (cf. Efésios 1.7). Ele faz questão de revelar-Se para que possamos conhecê--lO e sermos transformadas. E isso não pode parar em nós. Temos a grande missão de revelar a Sua glória para toda a Terra, pois Sua Palavra diz:

> *A ardente expectativa da criação aguarda a revelação dos filhos de Deus. Pois a criação está sujeita à vaidade, não por sua própria vontade, mas por causa daquele que a sujeitou, na esperança de que a própria criação será libertada do cativeiro da corrupção, para a liberdade da glória dos filhos de Deus.* (Romanos 8.19-21)

Então, o que você está esperando? Vamos fazer como Paulo nos ensina em 2 Coríntios 3.18 e contemplar a face de Deus com o rosto descoberto para que, assim, possamos resplandecer a Sua glória.

Anotações

Desafio

No desafio de hoje, busque uma oportunidade para revelar Cristo aqui na Terra, resplandecendo a Sua glória em todo e qualquer lugar, seja estendendo a mão a alguém que precise, servindo em sua igreja local ou até mesmo pedindo direcionamento ao Espírito Santo para entregar uma palavra de conhecimento para alguém. O que quer que seja, faça! Não espere que façam por você! Seja um reflexo de Jesus aqui na Terra. Tenha um ótimo e surpreendente dia!

DIA 35

A glória que raia sobre mim

por Lissa Subirá

Leia: 2 Coríntios 3

Há muito tempo, havia um homem que buscava ao Senhor persistentemente e, assim, conhecia-O em um nível que muitos em sua geração desconheciam. Passo a passo, ele caminhava em direção ao topo do monte onde conversaria com Deus, longe das distrações que o cercavam.

Ali no alto, penso que o espaço entre esse homem e o coração de Deus parecia menor, não por toda distância física percorrida, mas pela expectativa em seu interior, a certeza de que ele O encontraria mais uma vez e a confiança de que receberia as respostas que procurava. Seu nome era Moisés, e a glória de Deus estampava seu rosto, revelando o caráter contagiante da presença divina.

Contudo, à medida que o tempo passava, o brilho desvanecia e, por essa razão, o profeta passou a cobrir sua feição com um véu, assim as pessoas não perceberiam que o resplendor que ele carregava o havia deixado.

Milhares de anos se passaram, e Jesus nos deu novo acesso ao Pai. Agora, não mais escrevemos as leis em tábuas, mas carregamos a Justiça, que vem pelo Espírito, em nossos corações. Por causa de Cristo, a glória que raia sobre mim não altera necessariamente — ou apenas — a minha aparência, mas atinge

o que os olhos não veem: minha essência, caráter, desejos e vontades, elevando meu conceito de beleza, bondade e piedade, e também restaurando minha alegria.

Como 2 Coríntios 3.17-18 diz: "[...] este Senhor é o Espírito; e onde está o Espírito do Senhor, aí há liberdade. E todos nós, com o rosto descoberto, contemplando a glória do Senhor, somos transformados, de glória em glória, na sua própria imagem [...]". A intimidade do Senhor é para os que O temem. E se já foi glorioso o que Moisés experimentou, saiba que há muito mais para você na Nova Aliança, de forma permanente.

Anotações

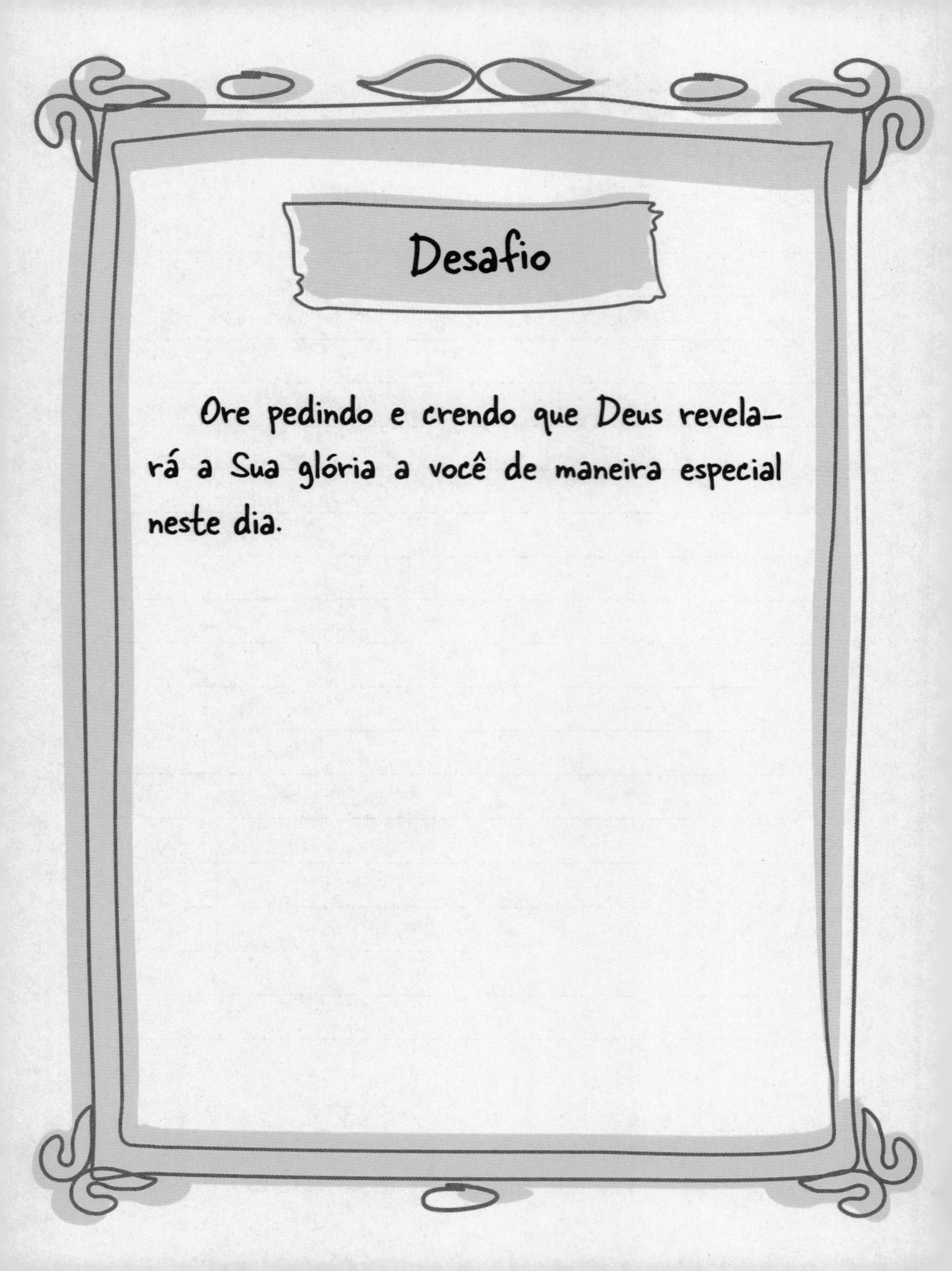

Desafio

Ore pedindo e crendo que Deus revelará a Sua glória a você de maneira especial neste dia.

DIA 36

Sou a luz do mundo

por Lívia Bemher

Leia: Mateus 5.14-16

Sempre que pensamos em "luz do mundo", tendemos a planejar o que podemos ser para o outro, certo? Só que como seremos luz se não permitirmos que ela aja dentro de nós? Como daremos para o outro aquilo que ainda não temos? Quando reflito sobre isso, eu me dou conta de que precisamos deixar que nossos anseios, conflitos e defeitos sejam confrontados pelo Único que pode sondar o coração humano. Que haja luz dentro de nós para que sejamos luz do mundo. O apóstolo Paulo diz a Timóteo:

> *[...] meu filho, dou-lhe esta instrução, segundo as profecias já proferidas a seu respeito, para que, seguindo-as, você combata o bom combate, mantendo a fé e a boa consciência que alguns rejeitaram e, por isso, naufragaram na fé. (1 Timóteo 1.18-19 - NVI)*

Nesse versículo, Paulo aconselha Timóteo a manter a boa consciência, não só a fé. Ele quer dizer que somente a fé não é suficiente. É necessário termos consciência dos aspectos da nossa vida que ainda precisam de mudança a fim de não "naufragarmos na fé", ou seja, para não ficarmos em cima do muro, mas, sim, andarmos em firmeza nos propósitos de Deus. Nós nos tornamos mais conscientes quando damos ao Senhor espa-

ço para trazer luz sobre nós em todas as áreas e, quando isso acontece, somos submetidas a uma transformação incrível!

É impressionante o fato de que, quanto mais perto da luz estamos, mais a sujeira fica evidente. Quanto mais intensa ela é, mais detalhes e defeitos enxergamos no ambiente. Da mesma forma, quanto mais perto de Deus estamos, melhor percebemos a podridão em nós e as questões que precisam ser moldadas e avaliadas. Isso acontece para nos tornarmos mais parecidas com Cristo, e é uma boa oportunidade para sermos afiadas e crescermos para, finalmente, sermos luz na vida dos outros.

Que possamos permitir que a Luz nos invada, nos purifique e nos mostre o quanto precisamos mudar, para que a partir disso, possamos alumiar o que nos cerca. Quanto melhor me torno, melhor posso tornar o mundo.

Anotações

Desafio

Eu desafio você a olhar para tudo aquilo que esconde dentro de si e que se tornou escuridão: inveja, vaidade, egoísmo, orgulho, mentira, gula, e por aí vai. Questões que, muitas vezes, optamos por ignorar, porque nos assustam. Entregue, hoje, toda escuridão Àquele que ilumina e a impulsiona, e que, a partir dessa vulnerabilidade e verdade, você seja luz, a fim de que as pessoas ao seu redor vejam suas boas obras reais [de dentro para fora] e o Pai seja glorificado.

DIA 37

Contra frutos não há argumentos

por Rapha Gonçalves

Leia: João 15.5

Eu me lembro de uma viagem missionária que fiz para um país fechado ao Evangelho. A maioria das pessoas ali não fazia ideia de quem era Jesus; nunca ouvira a Seu respeito, muito menos do Plano da Salvação. Meu coração ficou tão quebrado ao ver tantos que não tinham a oportunidade de viver um relacionamento com Ele como eu, mas me senti grata pela possibilidade de mostrar Jesus a elas. Foi quando, em um dos dias das cruzadas que fazíamos, uma senhora se aproximou perguntando o que estava acontecendo ali. Chamei um tradutor e, ao contar para ela a história da cruz, vi seus olhos começarem a brilhar. Mesmo assim, ela não aceitou Jesus naquele momento, pois ainda existia muita dúvida em seu coração. Porém, enquanto conversávamos, eu percebi uma bola em seu pescoço; perguntei o que era e ela disse que se tratava de um tumor. Na hora, eu e a equipe começamos a orar e, ali, diante de nós, o tumor desapareceu. Por mais que ela não entendesse quem era Jesus antes do milagre acontecer, depois de sua cura, não tinha como não saber que Ele era real.

A partir de então, passei a entender que, muitas vezes, as pessoas precisarão ver para crer. Sim, palavras tem muito poder, mas Ele quer ir além, revelando-Se em nossas vidas de forma visível para todos ao nosso redor.

Quando Jesus fala, em João 14, que nós faríamos obras maiores que as Suas, não foi à toa; Ele não estava brincando. No entanto, para vivermos isso, precisamos estar enraizadas n'Ele, e o tempo todo, conectadas. Cristo mesmo disse aos Seus discípulos:

> *Eu sou a videira, vocês são os ramos. Quem permanece em mim, e eu, nele, esse dá muito fruto; porque sem mim vocês não podem fazer nada. (João 15.5)*

Essa passagem nos mostra que existe um processo para que a árvore cresça e dê bons frutos. Permanecer em Cristo faz a semente plantada em nós (Seu Evangelho) frutificar. Quando não frutificamos, ou estamos em desacordo com a Sua Palavra, as raízes perdem força para crescer. Por isso, devemos permanecer em Cristo, vivendo como Ele viveu, falando como Ele falou e amando como Ele amou. Qualquer coisa que fazemos sem a Palavra de Deus e Sua presença não passa de frutos passageiros, que morrerão com o tempo. Mas, se tivermos o Senhor como a base de tudo em nossas vidas, o que colheremos será para a eternidade.

Dentro disso, vale mencionar também que os frutos do nosso relacionamento íntimo com Ele não servem para trazer glória para nós, mas, sim, para que todos reconheçam que Ele é real, que Seu poder cura, salva e transforma a vida de qualquer pessoa. Isso nos leva ainda mais perto d'Ele, mostrando que, através da nossa amizade verdadeira com o Senhor, podemos ser canal de bênção por onde passarmos. Quando as pessoas experimentarem dos nossos frutos, elas não terão como argumentar ou duvidar da bondade do nosso Deus.

Anotações

Desafio

Pergunte para seus líderes ou a alguém de confiança quais têm sido os frutos de sua vida e se eles têm trazido bênção ou não. Comprometa-se a tomar atitudes que gerem frutos em sua vida [por exemplo: orar por cura, salvação, entre outros]. Identifique uma pessoa que tem frutificado e escolha caminhar perto dela. E, claro, procure estudar os frutos da vida de Jesus, aprendendo com eles.

DIA 38

Pedindo por unção

por Vitoria Dozzo

Leia: 1 Samuel 16

Falar sobre unção é extremamente comum no meio cristão, mas não sei até que ponto compreendemos a sua importância.

Quando Davi foi ungido rei por Samuel, o Espírito do Senhor se apoderou dele e o acompanhou em todo o tempo (cf. 1 Samuel 16.13). Isso é um exemplo da unção de Deus, que nos capacita para aquilo que Ele nos chama a ser e fazer. Por ter sido ungido rei, Davi tinha a segurança daquele posto; homem nenhum poderia impedi-lo de cumprir o que o Senhor o havia designado. Assim é até hoje.

Por outro lado, apesar de o Senhor ungir quem Ele quer, não significa que não possamos pedir por isso. Nesse contexto, algo essencial a ser mencionado também é que toda autoridade na Terra é dada por Deus, mas o que nos mantêm na posição em que Ele nos colocou é a nossa obediência à Sua vontade. Um exemplo disso é Saul, que foi ungido rei. Ele tinha o Espírito do Senhor, mas, por desobedecê-lO, foi destituído (cf. 1 Crônicas 10.13).

Além disso, a unção divina em nós permite que, pela graça, ajudemos e sirvamos outras pessoas. A Palavra nos diz: "O Espírito do Senhor Deus está sobre mim, porque o Senhor me ungiu para pregar boas-novas aos pobres, enviou-me a curar os

quebrantados de coração, a proclamar libertação aos cativos, e a pôr em liberdade os algemados" (Isaías 61.1). Isso quer dizer que uma pessoa é ungida para um propósito: pregar, restaurar, proclamar liberdade e excarcerar os presos. O capítulo continua falando sobre consolar os que estão tristes, edificar lugares destruídos, e a lista segue. Moisés foi chamado para libertar o povo; Abraão, para ser pai de uma nação; Davi foi ungido rei; e nós, através de Cristo, podemos ser ungidas pela vontade de Deus (cf. 2 Coríntios 1.21-22).

Nossa unção procede do santo Senhor (cf. 1 João 2.20), e a Ele devemos tudo o que temos e somos. A oração e a leitura bíblica nos levam ao lugar de intimidade e, diante dos Seus planos, propósitos e nosso relacionamento com Deus, Ele nos unge. A partir de então, a graça nos é concedida. Assim, aquele que é ungido para determinado papel terá uma facilidade sobrenatural para executar funções que, para outros, podem ser difíceis; isso sem dizer que essa pessoa conta também com o favor e a capacitação de Deus na jornada. Dessa forma, acaba se tornando fácil notar a unção em alguém, porque ela transborda e alcança quem está ao seu redor, abençoando o povo e glorificando a Deus.

Anotações

Desafio

Em seu momento de oração de hoje, eu desafio você a refletir sobre sua vida, a fim de perceber em quais áreas tem mais facilidade em se mover (seja nos estudos, em relacionamentos, certos dons espirituais, comunicação etc.). Ao analisar isso, eu a convido a orar a Deus, clamando para que Ele a encha com uma unção sobrenatural nas áreas para as quais você é chamada.

DIA 39

Fazer tudo para a glória de Deus

por Gabriela Gomes

Leia: 1 Coríntios 10.31

"Que Ele cresça e eu diminua". Essa frase muito conhecida, dita por João Batista (cf. João 3.30), tem queimado em mim há algum tempo. Quão profundo é o propósito de viver para a glória de Deus! Mais importante que só fazer tudo para Ele e por Ele, é garantir que o nosso coração saiba o seu lugar de devoção e amor ao Senhor; que não somos nada sem Ele, pois somente por Ele existimos e vivemos. A nossa vida é amar a Deus e render honra e glória com todas as nossas forças, entendimento, atitudes e ações, mas, principalmente, nosso coração.

O ano de 2020 foi muito difícil para mim. Depois de um 2019 superagitado, não imaginava que o próximo seria tão, aparentemente, parado. Confesso que, nos primeiros dias de isolamento, eu me senti de férias, mas, com o tempo, comecei a me sentir inútil, e não conseguia enxergar propósito ou como minha vida poderia fazer alguma diferença! Então, busquei ao Senhor e fui levada a orar e jejuar, pois entendi que precisava de um renovo, um toque fresco d'Ele! A minha missão de ministrar o louvor e a Palavra era um meio de glorificá-lO com a minha vida e, sem aquilo, eu achava que estava perdida quanto ao que fazer.

Foi quando Jesus passou a me revelar que, para O glorificarmos, precisamos entender que o olhar de Cristo é infinita-

mente mais importante que a perspectiva humana, e que Ele, sim, deve ser o centro dos nossos pensamentos, atitudes e intenções. Naquele tempo, compreendi profundamente que, não importava o que eu fizesse, a minha vida pertencia a Ele. Assim, em tudo eu devo honrá-lO. Lavar a louça, limpar um banheiro ou arrumar a casa nunca teve tanto significado! Até mesmo ao preparar a comida e servir ao meu marido, eu me dei conta de que não tinha a ver com o que eu estava fazendo, mas com a minha disposição e profunda dedicação a Deus enquanto fazia o que quer que fosse!

Por isso, você que está lendo este devocional, não importa qual seja a sua profissão, sua posição na sociedade ou até mesmo na sua casa. Faça tudo para a glória de Deus! Seja cozinhar ou comprar um prato de comida para alguém que tem fome, no seu trabalho, enquanto estuda ou cuida dos seus filhos. Mesmo que ninguém a veja ou aplauda [esse não é o nosso fim, mas conhecer a Cristo e ser conhecido por Ele], os olhos do Criador estão sobre você. Por isso, entregue o melhor da sua adoração por meio da sua vida, coração e atitudes! Viva por isso, pois não há nada melhor! Ainda que, na visão do mundo, o que você faz não tenha tanta relevância, Jesus disse que o Pai, que nos vê em secreto, nos recompensa (cf. Mateus 6.1-6), e não há melhor gratificação do que essa! Por fim, enquanto faz tudo isso, não se esqueça do que Paulo aconselhou aos coríntios:

Aquele, porém, que se gloria, glorie-se no Senhor. (2 Coríntios 10.17)

Anotações

Desafio

Quero desafiá-la a, em tudo o que fizer, pensar em Jesus pertinho de você, observando e acompanhando todas as suas ações! Declare a Ele palavras de amor, caminhe, faça as suas refeições com Ele! Faça tudo com Cristo e para a Sua glória.

DIA 40

Até que a Terra seja cheia

por Isabela Borges

Leia: Habacuque 2.14

Que caminhada linda tivemos durante esse tempo juntas! Chegamos aqui mais apaixonadas por Deus, comprometidas com Jesus e cheias do Espírito Santo, prontas para O manifestarmos nesta Terra. Eu me lembro do dia em que Deus me revelou uma palavra:

> *Darei você os tesouros escondidos e as riquezas encobertas, para que você saiba que eu sou o Senhor, o Deus de Israel [...] (Isaías 45.3)*

Eu era somente uma menina com o coração queimando por Jesus e por ver pessoas tendo encontros com Deus, e aquela palavra parecia tão distante e impossível de acontecer comigo! Ainda assim, guardei-a no meu coração e comecei a seguir a Cristo com tudo o que eu tinha. Meu único desejo era que Ele fosse anunciado através da minha vida e que, apesar das minhas fraquezas e processos, eu pudesse servir em Sua missão.

Certo dia, anos depois daquela palavra, eu estava perto do topo de uma montanha muito alta, bem longe e isolada, sem energia elétrica, sem água, em um dos lugares menos alcançados pelo Evangelho no mundo. Eu me lembro bem daquele momento. Rapidamente, veio-me à memória a palavra de Isaías e, naquela tarde, eu pude ver a glória de Deus. Nos confins da

Terra, crianças tiveram encontros pessoais com Jesus; muitas delas eram surdas e, após a nossa oração, começaram a ouvir e a falar. Ali, eu experimentei o Céu tocando a Terra e a realidade celestial sendo estabelecida.

Todos os dias, podemos contemplar a glória de Deus e, diariamente, devemos resplandecê-la para um mundo necessitado, não importa onde estivermos; dos confins da Terra ao *campus* universitário, nas nossas casas ou zonas de prostituição, nas igrejas ou mercado de trabalho. Somos a luz, e nosso dever é somente brilhar e exaltar a Deus! Agora, será que Ele está sendo exaltado através de você? Essa é uma boa pergunta para fazermos a nós mesmas. Não importa onde esteja inserida, mas sim que Deus seja engrandecido nesse lugar. Como as águas que cobrem o mar, assim a Sua glória cobrirá a Terra (cf. Habacuque 2.14)! O nosso desejo deve ser, em todo o tempo, por meio de nossas palavras, atitudes, caráter e tudo o que somos, resplandecer a Sua glória. O nosso papel é ser obedientes, viver cada um dos Seus aprendizados aqui, ser fiéis no pouco, nos pequenos começos, e deixar que nosso coração seja cuidado e transformado por Deus, dia após dia. Dessa forma, como um diamante lapidado, precisamos nos manter também puras e limpas, manifestando a glória de Deus o tempo inteiro. Ele é totalmente poderoso para alcançar todas as pessoas da Terra e Se fazer conhecido entre elas, mas Ele nos escolheu como portadoras da Sua presença e, se cada uma de nós entender isso, a Terra, com certeza, se encherá do Seu conhecimento.

Se formos fiéis naquilo que Ele nos confiou, não existirá mais comparação, rivalidade e insegurança. Caminharemos unidas nesse propósito e criaremos esse movimento exponencial, que avança com a manifestação da presença de Deus sobre as nações. Então, outras mulheres começarão a ter seus corações curados. Os órfãos encontrarão pais; as viúvas, abrigos; os povos que antes não conheciam a luz encontrarão a Verdade, e, assim, juntas, veremos a Terra se enchendo da glória de Deus.

Anotações

Desafio

Toda a sua jornada até aqui criou em você uma nova mulher, pronta para manifestar a glória de Deus que a Criação tanto aguarda. Hoje, você deve compartilhar o Evangelho com, pelo menos, uma pessoa; talvez encorajar outra amiga na caminhada com Deus. Por último, escolha um lugar [pode ser onde você se encontra agora] para exaltar o nome de Jesus e fazê-lo conhecido. Será que as pessoas que moram com você já ouviram sobre o Evangelho? Será que alguma amiga sua precisa de uma força para continuar? Será que alguém já exaltou a Cristo nesse lugar? Seja parte da resposta; vá e resplandeça.

Considerações Finais

Ao longo deste devocional, tivemos a chance de aprofundar nosso relacionamento com o Pai, fortalecendo no Secreto nossas raízes, confiança e intimidade. Quanto mais próximas ficamos d'Ele, mais espaço Lhe concedemos para que sonde a nossa mente e coração e nos transforme à semelhança de quem Ele é. Porém, quando nos abrimos, é inevitável não nos tornarmos vulneráveis, e isso, algumas vezes, assusta. O problema é que muitos desejam intimidade sem compromisso e vulnerabilidade, mas isso não existe. Amar é ser vulnerável, e por isso é necessário compromisso.

A vulnerabilidade, no contexto do compromisso, tem a ver diretamente com entrega, e requer de nós coragem. No entanto, justamente por conta da aliança que temos e por conhecermos o caráter bondoso d'Aquele que amamos, podemos confiar e entregar o nosso coração. É como um filho que confia totalmente em seu pai e não pensa duas vezes antes de pular em seu colo, pois tem certeza de que ali estará seguro. E isso é instintivo para o menino, porque o pai lhe provou ter um compromisso com ele e atestou o seu caráter. Deus é assim conosco também, e o Seu desejo é que, constante e progressivamente, entreguemo-nos a Ele, para que, dessa maneira, nós O conheçamos profundamente como também somos conhecidas por Ele.

Foi em razão disso que, ao longo desses 40 dias intensos, você foi incentivada a experimentar essa confiança total no Pai. Por meio deste devocional, você não apenas pôde aproximar-se mais d'Ele, como conseguiu avançar em sua caminhada com Cristo através das palavras e experiências de dez autoras incríveis. Cada uma delas compartilhou um pouco a respeito de seu próprio processo de amadurecimento, relacionamento com

Deus e de como seu caráter foi moldado. E você é convidada a fazer o mesmo, olhando para dentro de si com a perspectiva do Céu, permitindo que Deus a trate individualmente, aprofundando a sua relação com Ele.

Esse não é um processo fácil, mas é necessário que sejamos intencionais, posicionadas e perseverantes, pois apenas assim teremos a nossa mente, coração e caráter transformados. Além disso, é só por meio do relacionamento diário e constante com o Senhor que passamos a conhecer Seu caráter e coração — que é a chave para a confiança e entrega total. Por isso, deste momento em diante, queremos desafiá-la a dar continuidade ao que você construiu com Deus até aqui.

Esses dias foram apenas o início de algo grande e poderoso que Ele está fazendo aí dentro de você. E é por acreditarmos que a sua história com Ele também poderá impactar muitos à sua volta, que lhe convidamos a engajar outras pessoas nesta jornada, postando nas suas redes sociais uma foto e marcando as autoras e a Editora 4 Ventos, com a *tag* #DesenvolvendoOSecreto.

Então, o que está esperando? Até aqui, cremos que você já teve a oportunidade de se aprofundar mais na Palavra de Deus e nas Suas verdades, mas ainda há muito a ser descoberto! Cada um dos devocionais presentes neste livro teve o intuito de fortalecê-la e encorajá-la a se entregar cem por cento ao Pai, a fim de vivenciar intensamente todos os propósitos que Ele tem para a sua vida. Agora é hora de continuar o que começamos juntas. Portanto, lance-se no colo d'Ele, segure firme e prepare-se para colocar em prática aquilo que você já tem desenvolvido no Secreto.

Este livro foi produzido em Latienne Pro 12 e impresso
pela Gráfica Santa Marta sobre papel pólen natural 70g
para a Editora Quatro Ventos em março de 2025.